LUIS GUILLERMO NIETO ROA

LA VERDAD
PARA LA HISTORIA

DEFENSA DEL PRESIDENTE
ERNESTO SAMPER PIZANO
ANTE EL CONGRESO

LUIS GUILLERMO NIETO ROA

LA VERDAD PARA LA HISTORIA

DEFENSA DEL PRESIDENTE ERNESTO SAMPER PIZANO ANTE EL CONGRESO

PLANETA

EDICIONES MONTE VERDE

Puesto que la publicación de este libro no se hace con
fines comerciales para su autor, sino exclusivamente
por considerar de interés público la divulgación de su
contenido, la totalidad de los derechos han sido
donados a la Fundación Renacer (personería jurídica
No. 175 del 18 de marzo de 1994) dedicada a la
protección de la niñez, en especial en labores de
prevención y rehabilitación.

ÍNDICE

INTRODUCCIÓN

Es la primera vez que en Colombia se adelanta juicio contra un Presidente en ejercicio. Cuando se intentó en el pasado, el Mandatario de turno no esperó siquiera a que se iniciara el proceso sino cerró, por Decreto, el Congreso que pretendía enjuiciarlo.

Así el 29 de abril de 1867 el General Tomás Cipriano de Mosquera, ante la inminencia de una acusación por la compra de un vapor de guerra, cerró las Cámaras. Y el 9 de noviembre de 1949, Mariano Ospina Pérez suspendió las sesiones ordinarias del Congreso al enterarse, por oficio del Presidente de la Cámara de Representantes, que esta Corporación se resolvería a acusarlo ante el Senado de la República.

Otros procesos, famosos en la historia política de Colombia, se iniciaron y desarrollaron cuando ya el denunciado había cesado en el ejercicio de sus funciones.

Ha sido un largo y difícil camino. Desde el momento mismo en que salieron a la luz las insinuaciones sobre financiación ilícita de la campaña presidencial, el país se dividió profundamente. Sin esperar explicación, sin conceder el derecho a la defensa, sin otorgar las garantías procesales que asisten a cualquier individuo, sectores importantes de la opinión condenaron al Presidente Ernesto Samper y exigieron su retiro del gobierno. Con espíritu demócrata que lo enaltece en grado sumo, el Presidente solicitó él mismo a la Fiscalía General de la Nación y a la Cámara de Representantes que investigaran su conducta y ofreció todas las garantías necesarias para asegurar el debido proceso.

Este libro recoge la introducción a la indagatoria rendida por el Presidente Ernesto Samper ante la Comisión de Acusación e Investigación de la Cámara de Representantes y el alegato presentado ante la misma Comisión por el abogado del Presidente de la República, Dr. Luis Guillermo Nieto Roa. Su divulgación busca llevar ante la opinión pública el conocimiento de las razones para pedir que la Cámara de Representantes en pleno, decrete la preclusión del proceso. Estas razones son esencialmente las constituidas por el hecho de que al proceso se han aportado innumerables elementos probatorios que demuestran la total inocencia del Dr. Samper Pizano y, en cambio, no existe prueba alguna que demuestre que el Presidente incurrió en conducta que pueda serle atribuida a título de hecho punible.

El proceso contra el Presidente de la República es sin duda el más importante que jamás haya existido, en función de las implicaciones sociales y políticas. Otros procesos célebres en la historia de Colombia han implicado a Presidentes de la República, pero siempre en relación con hechos atribuibles de manera exclusiva al Jefe del Estado, sin que pudiera extenderse la valoración de los hechos a un fenómeno de carácter colectivo, del cual la situación procesal del Presidente es apenas un fragmento. El Presidente aparece, en este caso, como símbolo de una causa que la sociedad entera instaura, para corregir comportamientos colectivos que se sucedieron en función de circunstancias de connotación diversa.

Es una especie de Juicio público que se simboliza en la cabeza del Jefe del Estado que representa a la nación entera. Colombia ha sido catalogada fuente del narcotráfico por la circunstancia de que en su territorio ha florecido una industria de producción que encuentra auge ante el poderoso consumo de droga en los Estados Unidos.

La campaña presidencial de 1994 ha sido sindicada de utilización de fondos provenientes de la actividad del narcotráfico y, por tal causa, la Fiscalía General de la Nación adelanta algunos procesos, dentro de los cuales merecen especial mención los de Fernando Botero Zea y Santiago Medina, quienes actuaron como director de la campaña y tesorero de la misma, respectivamente. Sus declaraciones y compromisos de carácter procesal los llevaron a comprometer al Presidente de la República, Dr. Ernesto Samper Pizano, dentro de una indefinida sindicación referible a diversas circunstancias y hechos de los cuales ellos y sólo ellos fueron los principales actores.

El Presidente de la República, en ejercicio de su defensa y en protección no solamente de su nombre sino, además, de la dignidad que representa, se apresuró a poner en conocimiento del Congreso de la República los hechos enunciados, para que éste como juez constitucional del Presidente clarificara los hechos y decidiera acerca de la culpabilidad o inocencia de su persona.

En una prolija y amplia investigación se allegaron todos los elementos de juicio necesarios para calificar la conducta del Presidente; su defensor, el Dr. Luis Guillermo Nieto Roa, examinó todos y cada uno de los medios de prueba, todos y cada uno de los hechos, todos y cada uno de los aspectos jurídicos pertinentes para concluir que el Doctor Ernesto Samper Pizano, si bien tuvo la condición de Candidato y jefe de la campaña presidencial, fue víctima de actos de otras personas en relación con el presunto ingreso de dineros de ilícita procedencia a la campaña.

El país ha visto cómo el Presidente no ha escatimado oportunidad alguna para que la opinión pública se entere, directamente y en debida forma, del contenido del proceso. Así se hizo mediante la solicitud de aprobación de la Ley que ordena el levantamiento de la reserva sumarial y que el juzgamiento se haga públicamente por la Cámara de Representantes en pleno.

La divulgación de este alegato forma parte de la serie de disposiciones dirigidas a la formación del conocimiento por parte de todos los ciudadanos, de tal modo que no quede alguna duda de la historia de los hechos, de su valoración social, política y jurídica. Pero sobre todo para que no quede de ninguna manera, en tela de juicio, la honra de quien ejerce la Presidencia de la República y representa a la nación entera.

DECLARACIÓN DEL PRESIDENTE ERNESTO SAMPER PIZANO ANTE LA COMISIÓN DE INVESTIGACIÓN Y ACUSACIÓN DE LA CÁMARA DE REPRESENTANTES

PRESENTACIÓN

Cuando se conocieron las declaraciones del Exministro Fernando Botero, en las que cambiaba sus versiones anteriores en relación con los hechos de la financiación de la campaña que me llevó a la Presidencia de la República, solicité de manera pública, al instalar las Sesiones Extraordinarias del Congreso de la República, convocadas para el efecto, que mi conducta fuera nuevamente investigada.

A pesar de que un reciente fallo inhibitorio de esta misma Comisión me exoneraba de muchos de los cargos que presentó el doctor Botero, solicité la apertura formal de una nueva investigación y ofrecí, como lo he cumplido, conseguir la aprobación de una ley que, al disponer el levantamiento de la reserva del sumario, permitirá que la opinión pública se entere del contenido de este proceso.

Hoy reitero mi voluntad de atender los requerimientos de la justicia y particularmente de esta Comisión y de la Honorable Cámara de Representantes que, según lo dispone la Constitución Nacional, es el investigador natural del Presidente de la República así como el Congreso es su juez natural, tal como ha tenido a su cargo, desde los comienzos de la República, el juzgamiento de la conducta de todos los Presidentes de Colombia.

Los señalamientos del exministro Botero, relacionados en la denuncia presentada por el señor Fiscal General de la Nación, tienen relación con mi comportamiento como candidato y como Presidente.

Empiezo por referirme a estos últimos, porque son los que revisten mayor importancia para los intereses de la Nación y los que tendrán que ser aclarados de manera contundente para que la historia registre realmente la verdad.

El exministro trata de derivar de una supuesta tolerancia del Presidente con el narcotráfico, una conducta de encubrimiento genérico de lo que pudo haber sucedido en la campaña.

Rechazo categóricamente estas afirmaciones.

En lo personal, porque no he tenido vinculación personal, ni política, ni mucho menos comercial con ningún individuo al margen de la ley; y en lo político, porque mi pensamiento y mis acciones así lo demuestran de manera clara y fehaciente.

El país conoce que mi único contacto con agentes de los carteles tuvo lugar hace ya varios años, en el aeropuerto de Eldorado, cuando recibí once impactos de bala disparados por sicarios al servicio del señor Rodríguez Gacha, jefe militar del Cartel de Medellín. En esa oportunidad, como lo sabe la opinión, casi pierdo la vida, como la perdieron otros tres candidatos presidenciales con los cuales competía en la misma contienda.

Los colombianos, además, saben de la pulcritud de mi vida que corresponde a una profunda convicción ética de que el ejercicio del servicio público es absolutamente incompatible con el desarrollo de actividades privadas generadoras de lucro.

Por ello no deja de ser una paradoja que se pretenda acusar de enriquecimiento ilícito a quien tiene sobrados méritos para ser señalado más bien de "empobrecimiento lícito", como consta en los anexos sobre mi situación patrimonial en los últimos años que acompaño a esta diligencia.

Decir que por haber ganado las elecciones y se discuta el origen de dineros ingresados a la campaña, se produjo un aumento no justificado del patrimonio personal del Presidente de la República, no deja de ser una temeridad jurídica. Los antecedentes de la creación de la figura del enriquecimiento ilícito así lo indican y mi propio patrimonio y su evolución muestran con claridad, como ya lo dije, que no existe ningún incremento no justificado del mismo.

LA LUCHA ANTIDROGA

Recién elegido para la Presidencia de la República envié una carta a algunos congresistas de los Estados Unidos en la cual les señalaba las prioridades en la acción contra el narcotráfico que llevaría adelante mi gobierno.

Esta comunicación, que no fue un gol que me metieran, como lo indica el exministro Botero, ya que fue revisada por el Vicepresidente De la Calle

14

y el ya entonces Ministro designado de Relaciones Exteriores, doctor Rodrigo Pardo, trazaba las líneas generales de esta tarea. Líneas que se han mantenido inmodificables a lo largo de todo mi gobierno.

Semanas luego, cuando tomé posesión de la Presidencia de la República, mi Gobierno reiteró esta política clara y firme contra el narcotráfico, no solamente en cuanto a la represión del mismo, cuyos efectos están a la vista y todo el mundo conoce, sino también en cuanto a la prevención, desarrollando métodos que permitieran a los campesinos sustituir los cultivos ilícitos por otros medios de subsistencia y redujeran los preocupantes niveles de crecimiento del consumo doméstico de drogas.

En mi discurso de inauguración del mandato dije:

"La lucha contra la corrupción, el narcotráfico y el crimen organizado seguirá ocupando atención prioritaria durante mi gobierno. Combatimos y seguiremos combatiendo el tráfico de drogas por convicción, por el grave daño que le ha causado a la sociedad colombiana, por su impacto sobre nuestras instituciones y porque compartimos el anhelo universal de que exista una juventud libre de la amenaza de la droga. Mi gobierno será tan claro y decidido en la erradicación de los cultivos y la persecución del narcotráfico como categórico en la exigencia de acciones efectivas por parte de los países consumidores en la reducción de la demanda y el control del lavado de dólares".

Desde la iniciación de mi administración nos propusimos concretar en acciones los planteamientos del Discurso.

Hoy ya no se sabe si cuando el Exministro Botero insistió, como él lo sugiere y con razón, en ser nombrado Ministro de Defensa lo hizo por un impulso altruista de defender el orden público y la seguridad de todos los ciudadanos o para utilizar su cartera en acciones de encubrimiento personal que él mismo ha puesto al descubierto en estos días.

Cuando lo nombré pensé, honestamente, que tenía el perfil personal para desempeñar el cargo. Está claro que me equivoqué.

Durante los primeros meses el gobierno trabajó simultáneamente en dos frentes en relación con el desmantelamiento de los carteles de la droga, particularmente el de Cali.

De una parte, respecto a las gestiones que desde antes de asumir el gobierno habían venido ocurriendo para obtener la entrega voluntaria de los jefes de estas organizaciones, les manifesté a todos los funcionarios que tenían relación con el manejo de la lucha contra la droga que cualquier solicitud en este sentido, por parte de jefes de los carteles, tenía que ser informada a la Fiscalía y que el Gobierno Nacional lo único que podía ofrecer era un juicio justo y una cárcel segura para quienes se acogieran a la ley de sometimiento a la justicia.

Simultáneamente, comenzamos a trabajar en una estrategia de lucha integral contra la droga que incluía, por supuesto, refinar los instrumentos de persecución física de los narcotraficantes.

Estas acciones y metas quedaron claramente consignadas en el discurso que pronuncié el 6 de Febrero de 1995 y su primer exitoso balance lo realicé el pasado 12 de Febrero cuando, además de fijar las metas para el año de 1996, señalé las más significativas realizaciones.

En lo corrido del año anterior y hasta Marzo de este año:

— 42.000 Hectáreas de cultivos ilícitos fueron erradicadas; representan cerca del 15% del total de cultivos ilegales en el mundo.

— 102 Toneladas de coca y sus derivados fueron incautadas.

— 970 laboratorios resultaron destruidos.

— 4.346 narcotraficantes fueron detenidos.

— Dos millones de toneladas de insumos químicos para el procesamiento final de droga fueron decomisados.

— Quinientos agentes del orden perdieron su vida en el cumplimiento de su deber al servicio de esta política.

Estas acciones, que se iniciaron con el Ministro Botero y siguieron exitosamente su camino después de su retiro, bajo la dinámica orientación del Ministro Esguerra, permitieron que el mundo viera reducidas las posibilidades de envenenamiento de sus jóvenes en más de 4,2 billones de dosis de cocaína y 1,3 de heroína.

Dudar de la contundencia de estas estadísticas para decir que Colombia no ha luchado contra el narcotráfico, en este o en cualquier otro gobierno, es colocarse del lado de quienes, en los Estados Unidos y aquí mismo, en Colombia, sostuvieron lo contrario hasta llegar a legitimar, con la descertificación, la más grande de las injusticias que se pueda haber cometido contra un país golpeado como ningún otro por el flagelo universal de la droga.

Y resulta además casi fantástico e increíble pensar que un Gobierno empeñado en la lucha contra el narcotráfico haya podido desarrollar tan formidable y fenomenal acción, sin la unidad de criterio y decisión que le atribuyen algunos críticos de su acción en este campo.

Así lo plantean, sin ruborizarse, el propio exministro en sus cargos y algunas autoridades extranjeras al tratar, de manera inaceptable, de atribuir los éxitos obtenidos por Colombia en los últimos meses en la lucha contra

16

el narcotráfico, a la actitud recta de unos pocos funcionarios, supuestamente rodeados, según tan arrevesada tesis, por cientos de compañeros suyos que trataban de impedir sus tareas, empezando por el propio Presidente de la República.

Como si la naturaleza de las instituciones permitiera que sin la voluntad política de la jefatura del Gobierno se pudiera realizar tamaña tarea.

O como si no fuera el mismo Presidente, en su condición de Comandante General de las Fuerzas Armadas, quien nombrara, como yo lo hice y luego los confirmé, al General Serrano como Director de la Policía y al General Bedoya como Comandante del Ejército, ambos excelentes oficiales en el cumplimiento de sus deberes.

Para desmentir esta afirmación están las declaraciones de otros miembros del Gobierno a quienes consta cómo el Presidente de la República exigió y puso plazo para que el desmantelamiento del llamado cartel de Cali fuese una realidad. Bastaría el testimonio pulcro y explícito del exministro Néstor Humberto Martínez Neira que obra en el expediente de esta misma Comisión.

O los testimonios, seguramente todos coincidentes, de quienes asistían a la reunión del famoso "Club de los Lunes", cuando tomé la decisión de asumir personalmente la persecución de los carteles.

La versión del exministro sobre la falta de voluntad Presidencial para combatir el narcotráfico es casi tan peregrina y vulnerable como el engendro de presumir unos supuestos recortes presupuestales que dificultarían la acción de las Fuerzas Armadas durante mi gobierno, cuando, como lo indica el análisis de la evolución de la inversión militar que acompaño, ningún gobierno ha realizado tantos esfuerzos presupuestales por modernizar nuestro desactualizado equipamiento militar.

Del Gobierno anterior viene la vigencia de una ley de mejoramiento de las asignaciones de los miembros de las Fuerzas Armadas que se está cumpliendo con las dificultades propias de las conocidas deficiencias presupuestales.

Y así como de este esfuerzo no puede derivarse un desentendimiento de la necesidad de mantener el orden público, lo propio acontece con la política de paz: ¿podría tenerse como falta de voluntad política el que el Presidente, como responsable supremo del orden público, tenga determinada concepción respecto del manejo de los problemas en cuanto al enfrentamiento nacido de la lucha armada?

La imagen, bien maquillada por cierto, que Botero ha vendido a propios y extraños es la de un Gobierno de espaldas a la lucha contra el narcotráfico y la de un héroe –él–, especie de hombre lobo solitario, que movió por su cuenta y riesgo todo el poder del Estado para cumplir la tarea que se derivó de muchísimas causas, entre otras, algunas de obligatorio cumplimiento como la ejecución de órdenes de captura emitidas por las autoridades competentes.

Hace ya mucho tiempo que en Colombia, para bien o para mal, se presidencializó, por así decirlo, la lucha contra el narcotráfico. No es del caso explicar con detalle cómo y de qué manera ocurrió el fenómeno.

Mientras otros flagelos de la delincuencia se han mantenido en los niveles adecuados del Estado, el narcotráfico se convirtió en responsabilidad casi exclusiva del Presidente de la República.

Lo cierto es que por obra de las exigencias internacionales, especialmente de los Estados Unidos, se mira de manera concreta la responsabilidad del Presidente, más que el conjunto de acción del Gobierno, como si éste no estuviese dirigido por el Jefe del Estado.

Botero lo dijo: "Como Presidente de la República lo que el doctor Samper ha demostrado (es) su voluntad indeclinable para combatir el narcotráfico y muy particularmente el llamado cartel de Cali, esfuerzo en el cual tuve el privilegio de participar como Ministro de Defensa Nacional".

Esta declaración rendida el 13 de Septiembre ante la Comisión de Investigación y Acusación es la verdadera porque el Ministro, como subalterno del Presidente, no puede hacer nada sin la voluntad del jefe del Estado; porque esa es la estructura del poder presidencial y porque todas las acciones de los ministerios resultan desde el acuerdo general del Consejo de Ministros y los acuerdos entre el Presidente y sus Ministros.

Esa declaración resulta de todos los documentos de Estado y del testimonio fehaciente de todos y cada uno de los miembros del Gobierno. En un país en el cual la lucha contra el narcotráfico se ha colocado prácticamente en cabeza del Presidente de la República, no es imaginable que la acción de las Fuerzas Armadas, para combatirlo, sea ajena al Jefe de esas Fuerzas que lo es el Presidente de la República.

En los Estados Unidos no es así. El hecho es que hasta ahora, hace menos de ocho días, el Presidente de los Estados Unidos, el Presidente Clinton, ha asumido la dirección de la lucha contra el narcotráfico. Ningún Presidente anterior a él había adoptado una acción semejante.

Algunos dirán en este estado de cosas: ¿a qué declaración del testigo creerle? Cuándo dice la verdad el testigo, ¿antes o ahora? Para dilucidar este acertijo, nada más práctico que examinar todos y cada uno de los actos del Gobierno desde su posesión, y ver, como creo haberlo demostrado, cómo todo coincide con la manifestación primera de Botero en el sentido de que ha habido una voluntad indeclinable de combatir el narcotráfico y que los discursos y documentos de campaña contienen la expresión de esa voluntad indeclinable. Así lo muestran, para la historia, sus propias y numerosas declaraciones de prensa cuya selección acompaño en VIDEO.

HECHOS DE LA CAMPAÑA

Lo mismo debe proyectarse en torno a mi propia posición y la de los demás directivos que me acompañaban en la campaña respecto al ingreso de dineros de dudosa procedencia a la misma.

A lo largo de agosto y septiembre de 1995 el exministro Botero ratificó una y mil veces la absoluta inocencia del candidato.

En la rueda de prensa que ofreció con el doctor Horacio Serpa el 31 de Julio manifestó, como lo reiteraría más tarde ante esta misma Comisión y ante la propia Comisión de Fiscales, que desde el comienzo de la campaña era una OBSESIÓN mía evitar la posible infiltración de estos dineros a las arcas de la campaña.

Agregaba que se adoptaron todas las medidas para evitar que este hecho sucediera. No de otra manera se explica el que hasta ahora no se haya aportado una sola prueba testimonial, documental o de cualquier otra calidad que sirva para inculpar al Presidente de que ideó, dispuso, ordenó, recibió o participó en acto alguno dirigido a negociar ingreso de dineros del narcotráfico a la campaña.

Y no se han aportado por una simple y sencilla razón: porque no existen.

Medina y Botero han asumido sus propias responsabilidades, y de ninguna manera concreta, específica, probatoria en sentido jurídico, han demostrado que respecto a ningún hecho anterior o posterior a la campaña el Jefe del Estado pueda haber incurrido en una conducta contraria a la ley.

Pero hay algo más. Los hechos de mi conducta respecto a la organización misma de la campaña, a los controles éticos y financieros que fueron ideados para ella, a las instrucciones que pública y reiterativamente impartí para garantizar su transparencia, van en abierta contravía con cualquier situación irregular como la que se ha querido imputarme.

Veámoslos.

Desde el comienzo, cuando se diseñó la campaña en España, Botero propuso que ésta funcionara, con el apoyo de asesores norteamericanos, como una auténtica y revolucionaria "empresa electoral", encargada de promover un solo producto: el candidato.

En el decálogo que preparó para sintetizar los rasgos generales de la organización obligaba al candidato a separarse del manejo administrativo y financiero de la campaña, el que quedaba, exclusivamente, en sus manos como Director General. Éste actuaba como única cabeza de una rígida estructura vertical, con total autonomía para el manejo administrativo, financiero y organizativo. Lo dijeron varios testigos: "sin la orden de Botero no se movía una sola hoja".

La coordinación de la actividad del Candidato se hacía a través de un "Comité de Agenda", del cual hacían parte el candidato, Humberto de la Calle, Horacio Serpa, Fernando Botero, Juan Manuel Turbay, Rodrigo Pardo, Pedro Gómez Barrero y José Antonio Vargas. La función esencial del Comité, como su nombre lo indica, era la de organizar los compromisos semanales del candidato, preparar sus presentaciones y definir las estrategias de imagen.

Jamás, como se ha dicho ahora, tuvo este Comité ninguna responsabilidad financiera ni administrativa, simple y sencillamente, porque no podía tenerla ni fue pensado jamás para que la tuviera.

Tampoco es cierto que el Comité de Agenda hubiera tenido nada que ver con la fijación ni mucho menos con el desconocimiento de los denominados "topes electorales".

La responsabilidad en este sentido de algunos directivos de la campaña se limitó a solicitar la eliminación de los topes o, alternativamente, la ampliación de su monto, que fue lo que finalmente se consiguió. En ninguna otra oportunidad se mencionó el tema.

Transcurridas las elecciones, como lo manifesté a esta misma Comisión en pasada declaración, fui informado de que la Contabilidad de la Campaña había sido presentada al Consejo Nacional Electoral en debida forma y supuse que al autorizar este último el reembolso correspondiente, las cuentas habían sido encontradas en regla.

Volviendo a nuestro relato, con el tiempo Botero asumió las funciones de Gerente General y las propias de Tesorería, con el apoyo de Santiago Medina.

Adicionalmente a esta decisión sobre la estructura casi "dictatorial" de la campaña, se convino, por solicitud mía, nombrar una auditoría externa para la Campaña, expedir un Código de Ética para la misma y designar un Fiscal Ético que vigilara su aplicación.

El Código de Ética que fue presentado en el mes de Agosto de 1993 establecía limitaciones para la familia del Presidente, obligaba a la presentación de declaraciones de renta para todos los funcionarios públicos, definía el denominado voto programático y, por supuesto, señalaba las normas que debían ser tenidas en cuenta para garantizar la transparencia de los fondos que ingresaran a la campaña.

Una propuesta de Estatuto Anticorrupción, que ya es Ley de la República, complementaba la "oferta ética" para mi campaña y para mi gobierno.

Estoy seguro de que la Comisión, al evaluar mi compromiso con la transparencia de los fondos de mi campaña, tendrá en cuenta los testimonios que sobre esta "obsesión" suministraron a esa misma Comisión personas de reconocida respetabilidad como Mónica de Greiff (22 de Agosto de 1995), Julio Andrés Camacho (Agosto 27 de 1995), Jorge Valencia Jaramillo (31 de Agosto de 1995), y el propio Juan Manuel Avella, quien a lo largo de este proceso ha mantenido una consistencia que lo honra y fortalece la presunción sobre su inocencia.

Es fácil, a la luz de estas consideraciones que, según la propia propuesta organizativa del Director de la Campaña, el papel del candidato se concentrara, como en toda campaña, en una agotadora agenda de giras, de reuniones, de conferencias, de encuentros con sectores sociales, recorriendo cientos de lugares en una de las campañas más largas que registre la historia.

Después de ver cómo el propio Botero relata ahora con lujo de detalles todo el poder que tenía y la forma como controló junto con Medina el centro neurálgico de la campaña, hasta los más ínfimos detalles, tengo más argumentos para reafirmar, como lo hice desde el primer momento en que se conoció la información sobre supuestas irregularidades de la campaña, que si estos hechos sucedieron, sucedieron sin mi conocimiento, y afirmar, sin vacilar, que sucedieron también sin el conocimiento de los Ministros que hoy día han sido señalados, por el propio Botero, de haberlos conocido.

Que nadie muestre suspicacia sobre esta afirmación.

Así sucedió por la forma autónoma y verticalizada como se planteó desde el principio la campaña.

Así sucedió por la imposibilidad física que tenía el Candidato y quienes lo acompañaban de estar al tanto de los asuntos administrativos y financieros, especialmente durante la segunda vuelta cuando, como se deduce del análisis desprevenido de la Agenda de la Segunda Vuelta que acompaño a esta diligencia, en el corto lapso de veinte días visité cerca de 24 ciudades, presidí más de 60 encuentros y concedí por lo menos 30 entrevistas periodísticas.

Así sucedió inclusive por las muy preocupantes revelaciones conocidas la semana pasada sobre probables desviaciones de fondos de mi campaña hacia el exterior y aprovechamientos particulares, respecto a los cuales la Fiscalía tiene la última palabra.

Necesariamente, no podría juzgarse al Presidente de la República sin partir de las exigencias constitucionales y legales que precisan en primer término la especificación de los cargos, la prueba de los hechos, la autoría de los mismos y la culpabilidad.

Me he negado sistemáticamente a aceptar responsabilidad alguna en actos como candidato o como Presidente que impliquen autoría alguna de conductas relacionadas con el fenómeno del narcotráfico, porque no participé en actividades que se salieran del marco de referencia ética al cual sometí a la campaña, y el Gobierno ha sido absolutamente pulcro y respetuoso de la Constitución y de las leyes.

LAS DOS CAMPAÑAS

Por la misma razón resulta carente de todo fundamento lo manifestado por el exministro Botero en el sentido de que existían, aparentemente, "dos campañas": una, la de la maquinaria que manejaba el doctor Horacio Serpa en su condición de Jefe de Debate, y otra, la de imagen, que manejaría él.

La verdad es que desde el comienzo se programaron, sí, dos grandes frentes de acción, el político y el de opinión pero una única campaña.

El primer frente, a cargo de Serpa, tenía la responsabilidad de organizar la participación de los militantes liberales y simpatizantes no liberales del Candidato y el segundo, comandado por Rodrigo Pardo, el de preparar sus posiciones frente a la opinión.

Pero el soporte organizativo, financiero y logístico de los dos frentes, como lo reconoció el propio exministro Botero en su declaración ante esta misma Comisión, cuando aceptó que él proveyó las tesorerías regionales de fondos para todos los efectos de la campaña, era exactamente el mismo.

Ni Horacio Serpa, ni Rodrigo Pardo, ni Juan Manuel Turbay tenían ninguna responsabilidad financiera ni administrativa, ni muchísimo menos de tesorería.

El que ocasionalmente hubieran llevado, como yo, donaciones, todas lícitas, a la campaña no los convierte por supuesto en responsables de la Tesorería, ni mucho menos en ordenadores de los gastos o gestores contables.

Precisamente, al terminar la primera vuelta, en el análisis que hicimos exactamente la noche anterior, en mi casa, cuando ya sabíamos que no se alcanzarían las mayorías absolutas, se tomó la decisión de concentrar los esfuerzos en una campaña de opinión que alcanzara los liberales históricos y los independientes que ya se estaban sumando a la campaña.

No hay tal que la campaña estuviera "quebrada" ni mucho menos que no hubiéramos previsto la posibilidad de no alcanzar la cima de la mitad más uno de los electores: las encuestas de la última semana de la primera vuelta eran implacables, nadie ganaría por nocaut. Yo sabía que los grandes empresarios además distribuirían sus aportes entre los dos candidatos finalistas. Así lo comprobamos cuando, como consta en la <u>AGENDA DE LA SEGUNDA VUELTA</u>, conseguí ofrecimientos de dineros más que suficientes para cubrir la última etapa.

El voto liberal tradicional se consideró ya "agotado". Y no había, entonces, necesidad alguna de "engrasarlo", como afirmó el exministro Botero; por unanimidad, se tomó la decisión de concentrar todas las energías en una segunda vuelta en una campaña de opinión, apelando a unos sectores concretos: los liberales no militantes, los independientes y los cristianos.

Y se comete una gran injusticia al atribuirle a Horacio Serpa la responsabilidad política de una estrategia que ni siquiera fue diseñada por él ni tampoco para que él la ejecutara.

Esta apelación liberal general y no proselitista permitió que, al terminar la segunda vuelta, recibiera el 91% de los votos de quienes se declaraban liberales, obteniendo significativos resultados que marcaron la diferencia, como los obtenidos en Bogotá donde, como afirmó la Revista SEMANA, "la importancia de la votación en la capital fue tal que si Pastrana le hubiera ganado por poco a Samper en Bogotá, hoy sería Presidente".

En esta tarea fue también relevante el apoyo de Monseñor Castrillón frente al voto de tolerancia. ¡Bendito sea mi Dios!

ENCUBRIMIENTO

En el relato novelado del exministro se mezclan, con juicios de valor, toda clase de consejas y suposiciones de hechos.

Se suman mentiras tratando de convertirlas en verdades.

Se habla de decisiones tomadas en situaciones que existieron o fueron convocadas para otros efectos.

Se busca presentar toda medida gubernamental como dirigida a encubrir o proteger actos censurables o ilícitos de los cuales nadie, excepto quien los relata, tenía conocimiento.

¡Claro que el Presidente se reunía con los miembros de su gabinete!

¡Claro que en estas reuniones se trataban temas de Estado! ¡Jamás con las luces apagadas, ni siquiera a media luz!

Jamás para conspirar, para trazar estrategias contra nada ni contra nadie. En la mayoría de los casos, lo que se buscaba era responder de la mejor y más objetiva manera a hechos que se conocían como resultado de las propias investigaciones y operaciones de las agencias del gobierno, incluidos por supuesto los propios de la campaña.

Por ello, frente a las interpretaciones de mala fe, están los hechos contundentes:

— Medina no fue nombrado en un cargo diplomático cuando, por información directa del Fiscal, que confirmaba su posible participación en operaciones irregulares de la campaña en el mes de Octubre tomé la decisión de marginarlo del gobierno: no para encubrir sino, al contrario, para que se conociera la verdad, si coincidía con la versión febricitante que estaba dando respecto a la campaña.

— La famosa Carta de los hermanos Rodríguez jamás la conocí ni tampoco su verdadero mensaje, ni siquiera si estaba firmada. Es más, la versión que sobre ella nos dio en San Andrés el propio Botero no tiene nada que ver con la que ahora relata. Así lo saben el Fiscal y el propio Horacio Serpa.

Quizás el más grave, si no el único cargo de encubrimiento, es el que quedó al descubierto con las declaraciones del exministro Humberto Martínez y el Coronel Norberto Peláez respecto al traslado ordenado de manera absolutamente irregular por y sólo por el entonces Ministro Botero de unos presos de Palmira a la Cárcel Modelo de Bogotá.

Lo que es importante que la opinión no olvide es que frente a estos supuestos cargos de encubrimiento fui yo, en tres oportunidades, quien de manera privada y pública (Medellín, 28 de Abril de 1995) solicité la iniciación y luego reapertura de la investigación sobre los narcocasetes.

Lo que es importante es que la opinión pública tome en consideración la forma pública como en varias oportunidades, a través de la Revista SEMANA, la primera de ellas, y del Ministro de Justicia, en dos oportunidades, el gobierno defendió públicamente la tesis jurídica de la permanencia del Fiscal en su cargo.

Los Consejeros de Estado, por su parte, ya han desmentido suficientemente las intenciones del exministro en el sentido de que hubieran sido, de cualquier manera, presionados o motivados a votar en uno u otro sentido.

Lo que es importante es que la opinión pública tenga el derecho a saber que en el caso de la tramitación del denominado "narcomico", en cuya aprobación expresó su interés el exministro Botero, las instrucciones que impartí a los Ministros de Gobierno y de Justicia fueron claras: mi gobierno no variaría el tipo penal del enriquecimiento ilícito o de cualquier otro delito relacionado con el narcotráfico, costara lo que costara.

El propio Presidente de la Cámara de Representantes, el doctor Rodrigo Rivera, fue testigo de mi solicitud de aplazar las sesiones plenarias del final de la legislatura del año pasado para evitar que la Comisión de Investigación y Acusación fuera presionada en la decisión que entonces estaba considerando sobre el Presidente de la República.

Le dije entonces, como él podrá reiterarlo, que no estaba dispuesto a negociar mi inocencia.

¿CUÁL ENCUBRIMIENTO?

Si desde el comienzo del mandato y aun antes, estuvieron siempre en conocimiento de la justicia las imputaciones que públicamente se hacían desde cuando se divulgaron los bien conocidos casetes, llamados narcocasetes.

¿Quién podría ser encubridor de todo cuanto ya era motivo de investigación por parte de la justicia y de comentario e indignación diaria de todos los medios de comunicación?

No pasa de ser una temeridad decir que el Presidente estaba encubriendo, para que no se supiera lo que ya era motivo de investigación pública por toda clase de personas, tanto del sector público como del privado.

Oportunamente sometí el caso al juez constitucional del Presidente. Cualquiera que sea el juicio sobre el Congreso, legítimamente elegido y con plenas facultades, es el único que puede decir si se cometieron o no por parte del Presidente de la República actos ilícitos.

Nadie tiene, fuera del Congreso, la potestad para juzgar al Primer Mandatario de la Nación. En ese fuero tengo derecho a la defensa y a ser oído y a no ser condenado sin ser vencido en juicio público en el cual me hayan otorgado todas las garantías.

Respetuoso como soy de la libertad de prensa, pero también de la verdad, he promovido el que legalmente el proceso ante el Congreso sea sin reservas para que la prensa pueda conocer y divulgar, dentro de la verdad, el contenido de las piezas procesales y nadie pueda tergiversar, a su acomodo, el contenido de las mismas.

Porque nada más saludable para la Nación que el juicio plenamente público de su Presidente cuando es acusado, de tal modo que el veredicto que se pronuncie al final del proceso, no deje dudas para nadie.

INOCENTE POR INOCENTE

De allí que rechace, señores miembros de la Comisión de Investigación y Acusación, que las averiguaciones sobre estos hechos se puedan llegar a resolver basándola en historias, hipótesis, generalizaciones o afirmaciones que se apartan del estricto concepto de lo que debe ser un Estado de Derecho.

Como Presidente de la República estoy despojado de toda condición personal. No se juzga aquí solamente a la persona sino a la investidura. Dicho de otra manera, el juicio no es sobre el ciudadano sino sobre el Presidente, con todo lo que ello significa para la suerte y el destino de la Nación.

Mi obligación es sostener mi inocencia no solamente en beneficio de la persona de Ernesto Samper, de su apellido y de su familia.

Mi obligación es decir y demostrar que el Presidente de la República, que representa a todos los colombianos, es inocente. Es esa inocencia a la cual estoy obligado a defender. Por eso he permanecido en el cargo: porque como persona sé que no he mancillado de ninguna manera la investidura presidencial. De lo contrario ya hace rato habría dejado la Primera Magistratura.

Un presidente, más que nadie, para que pueda ser declarado culpable requiere la plena prueba de la imputación que se le haga. Pero en este caso no estoy demandando esa prueba, sino el reconocimiento de que de ninguna manera he realizado acto alguno doloso, ilícito o de cualquier carácter indigno. No se trata de que se diga que soy inocente por falta de pruebas, sino de que se diga que soy inocente, simple y sencillamente, porque lo soy.

Espero, por ello, tranquilo el resultado de este doloroso proceso.

PRESENTACIÓN

Este proceso investigativo contra el Presidente de la República, inicialmente solicitado por el propio Primer Magistrado y cerrado por auto inhibitorio del 14 de diciembre de 1995, se reabrió con fundamento en las afirmaciones de Fernando Botero Zea, quien de variada manera sostuvo que el Candidato estaba enterado de que a la campaña ingresaban dineros de proveniencia ilícita y llegó hasta afirmar que fue el propio Samper quien ideó y fraguó tal ingreso de dineros de origen dudoso. El señor Fiscal General de la Nación recogió esas versiones para estructurar con ellas su denuncia ante la Comisión Investigadora de la Cámara de Representantes.

A partir de este punto, los Señores Representantes Investigadores han recaudado múltiples pruebas y todos cuantos lo han deseado han presentado, dentro del proceso o fuera de él, de manera pública o soterrada, documentos, declaraciones, consejas, periódicos viejos, noticias trasnochadas, sin importar qué fuera con tal de insinuar culpas, sugerir complicidades o tejer enredos. Desde la aparición de los así llamados narcocasetes, fuerzas de toda índole, algunas con evidente conexión con intereses extranjeros, se han coaligado para obtener determinados efectos. Y no han faltado los medios de comunicación que han pretendido sorprender al Presidente y al país con la publicación súbita de supuestas pruebas bombas, en las que aparecería de manera concluyente la culpabilidad del Mandatario. Sin embargo nadie, ni antes ni ahora, ni en el territorio patrio o fuera de él, ha podido —ni podrá— probar de manera directa o indirecta las imputaciones que pretenden hacerse a quien, en clara demostración de tranquilidad de conciencia y espíritu demócrata, urgió él mismo a la Fiscalía General de la Nación y a la H. Cámara de Representantes a investigar su conducta hasta las últimas consecuencias.

Desde luego, hay infinidad de problemas en el debate montado contra el Presidente de la República, y casi todos de naturaleza política. Pero es preciso recordar que en un proceso, cualquier proceso político o jurídico, sólo se debe valorar la conducta del acusado en función de lo alegado y probado. El debido proceso no es simplemente el someter la formación del juicio a los cánones procedimentales de la tramitación; el debido proceso es, sobre todo, hacer que la valoración para juzgar se refiera de modo preciso y concreto a la prueba recogida. Podrá decirse que en algunos casos esa prueba es insuficiente, incompleta y que más allá de ella está la verdad, y que esta no consta en el proceso. Sin embargo, la verdad no puede encontrarse sino a partir de las pruebas que se exhiben dentro de un proceso revestido de garantías totales, tanto para los acusadores como para los defensores. Es lo único que les da certeza a los juicios; es lo único que protege a los ciudadanos de verse expuestos a interpretaciones, presunciones o decisiones tomadas de un sentimiento, particular o general, de carácter extraprocesal. Sería muy grave para la suerte de la democracia si la decisión en los procesos se tomara, no solamente con fundamento en las pruebas allegadas, sino además con fundamento en cuanta versión surja a través de los medios de comunicación, en los clubes, en los corrillos, en los mentideros y en las presunciones que se van formando al vaivén del ritmo cambiante de la "opinión", sin que a ésta se le haya dado la información veraz y completa.

En el caso del Presidente ha habido toda la oportunidad para investigar, hasta el exceso, cada uno de los hechos y las circunstancias dentro de las cuales se desarrolló la campaña de 1994. Desde hace casi dos años, porque lo fue prácticamente desde el momento en que las urnas lo consagraron como Primer Magistrado de los Colombianos, Ernesto Samper ha estado en el ojo escudriñador del mundo entero. Miles de personas, dentro y fuera del país, algunas con capacidad investigativa técnica, logística y económica de proporciones mayúsculas, han querido encontrar la prueba que lo acuse. Pero toda esta labor ha sido inútil. No porque hubiera faltado tiempo o recursos para investigar. No. Esa prueba no se ha encontrado por la elemental razón de que no existe; por el simple motivo de que donde no hay acción no puede darse demostración de la acción y se ha hecho más que evidente, más allá de la presunción de inocencia, que el Presidente es inocente. Sus detractores políticos, sus enemigos personales, los malquerientes interesados en oscuros fines, algunos periodistas que creen que pasarán a la historia si logran tumbar al Mandatario y muchos, muchos que arrastran –ellos sí– muchas culpas, y sienten que ha llegado la hora de espiarlas en cabeza ajena, se han convertido en sabuesos para perseguir, en halcones para escudriñar, en raposas para tergiversar, pero en esos afanes tampoco han encontrado cómo demostrar de manera concreta que el entonces Candidato obró en contra de los mandatos jurídicos y, más aún, siquiera en contra de las normas que él mismo estableció para su campaña, más rigurosas todavía que las de la propia ley. Porque, precisamente, él tuvo el afán de salvaguardar la ética en medio de los azares de las campañas

28

políticas que no suelen ser un modelo de buen comportamiento, ni en Colombia ni en el resto del mundo. Haber dictado un Código Ético para indicar la pauta moral a los que quisieran participar en su campaña debería ser demostración suficiente de su recto proceder, por encima de cualquier sospecha sembrada por personas cuyos antecedentes no han sido los más claros.

Por primera vez en Colombia se juzga de esa manera a un Presidente en ejercicio. Cualquier caso del pasado no tiene parecido. Las veces que se intentó, el Mandatario de turno simplemente cerró el Congreso, antes de que el juicio se iniciara, para evitar el escrutinio de sus actos. Ahora no. Porque Ernesto Samper ha obrado sobre la certeza de su inocencia y ha tenido presente que el Estado se fortalece y madura en la medida en que sus instituciones demuestren que son capaces de sortear aun las más duras tormentas. Gracias a la templanza de su espíritu, que no se ha doblegado pese a los múltiples e injustos ataques de los que han sido víctimas él, su familia y sus más cercanos amigos, el mundo puede presenciar un debate abierto y público, transmitido por los medios masivos de comunicación, en el que cada persona, en cualquier rincón de la República y más allá, puede valorar, en la intimidad de su yo espiritual, el comportamiento digno del Presidente de los colombianos.

Hay intereses políticos, y muy grandes, que quieren que el juicio se haga con criterios distintos de los que resultan de las pruebas. Pero ese sería un juicio inicuo, no el que la Constitución ordena, y que no podría hacerse sin violar principios sagrados del derecho universal, aunque ciertamente gentes de distintas tendencias políticas o con intereses foráneos lo desean para no tener que ajustarse al rigor probatorio sino obtener un resultado que justifique su animadversión contra Colombia a la que miran, no como la Patria grande, libre y soberana que siempre ha sido, sino como una tierra que genera y produce el narcotráfico.

Colombia ha sido de tiempo atrás puesta en la mira de los desafectos internacionales; no es de ahora sino de muchísimos años que nuestros compatriotas son tratados como parias en tierras extranjeras; poco a poco, esos desafectos han ido cerrando el cerco contra este país y ahora, para dar el golpe final o de gracia, quieren la cabeza del Primer Magistrado de la Nación. Si ellos triunfaran habríamos caído definitivamente en manos de quienes quisieran convertir a Colombia en una inmensa prisión. Muy grave sería que este juicio se hiciera mirando u oyendo esos horizontes o esas voces.

Podrá tenerse el criterio sentimental que se quiera sobre la persona del Presidente, pero por encima de esos sentimientos están la Nación, la ley y el debido proceso. Y si aun dentro del mismo Congreso hubiese sentimientos ajenos a la verdad procesal, ellos no pueden primar al tomarse una decisión. Qué desastre si desde el propio seno de la Corporación, llamada por la Carta para impartir justicia al Primer Magistrado de la Nación, se sentara la tesis del valor político de las cosas, en desmedro del valor probatorio del Proceso. Sería desoír las voces de la sagrada norma del artículo 29 de la Constitución de Colombia.

¿Qué sería de la seguridad ciudadana y de sus libertades si todo juicio se hiciese en función de los sentimientos, de las opiniones y no de las realidades del debido proceso?

Juzgar a quien representa la majestad de la Nación sin respetar en grado sumo las garantías constitucionales no sería sólo poner de bulto la norma de que todos, cualquiera que sea su dignidad o posición, estamos sometidos a la ley y a la justicia, sino correr el peligroso camino de resquebrajar la estabilidad de las instituciones.

Corresponde a la Honorable Cámara de Representantes pronunciar el dictamen que en Derecho corresponde porque es ella la única que tiene la competencia jurídica para hacerlo.

Honorables Representantes:

He venido con todo el respeto, pero con toda la firmeza que me da la justicia, a demostrar que del estudio de la denuncia se infiere que no hay concordancia entre lo afirmado en el cuerpo de la misma y los anexos en los cuales se respalda; que ella pretende dar valor jurídico a situaciones contenidas en los anexos que son inanes; y que en esa denuncia se presentan, sin haberlos sopesado a la luz de la sana crítica, unos testimonios allegados a la investigación que son meras fórmulas para la negociación de penas o el claro intento de los declarantes por buscar exoneración de hechos suyos que podrían constituir delito.

La Carta Fundamental ordena a la Fiscalía ponderar en sus investigaciones tanto los aspectos favorables como los que sean desfavorables al procesado. Deberíamos suponer que esta obligación constitucional sirvió de rígido marco para tomar la decisión de formular un pliego de cargos contra el Presidente de la República. Sin embargo, se dejó de lado tal compromiso. Porque lo cierto es que, sin tomar los contenidos del derecho penal en su concepto, estructura del delito y desarrollos tanto doctrinales como jurisprudenciales en materia de participación y autoría, la denuncia hizo una descripción muy genérica de unos hechos y trató de apuntalarlos con pruebas que, lejos de constituir evidencia, son meras hipótesis, sospechas, instrumentos de trabajo, atractivos para las noticias, sin aptitud para una imputación penal. No aparece en el pliego acusatorio una sola afirmación o al menos una referencia a los hechos y argumentos, testimonios y documentos que allí mismo obran con fuerza suficiente para exonerar de toda culpa al Presidente.

Podría decirse que se trataba de una denuncia y de nada más que una denuncia y que, por lo general, las denuncias sólo contienen relaciones de hechos y de pruebas, sin calificar ni profundizar en su significado, pues ello corresponde al investigador y no al denunciante. Y que, frente a quien ostenta la condición de Jefe del Estado, la Fiscalía no es competente para investigar. Pero el Fiscal General de la Nación no es cualquier denunciante ni el Presidente de la República cualquier denunciado.

El Fiscal es el más alto magistrado de la investigación judicial en Colombia; es el responsable, por mandato constitucional, de una de las más delicadas etapas de la administración de justicia y, por tanto, debe ser celoso guardián para que a todas y cada una de las personas se les respeten integralmente los derechos fundamentales cuando se investigue su conducta. Cada pronunciamiento suyo es como una sentencia, aunque no siga el cumplimiento de los rituales procesales, y por eso sus palabras deben ser precedidas de la máxima reflexión y la mayor prudencia.

El Presidente de la República, por su parte, simboliza la unidad nacional, como lo señala la Carta Magna. Es el Jefe de Estado, el Jefe de Gobierno y la Suprema Autoridad Administrativa de la Nación. Todo cuanto a él le suceda aflige o exulta a sus compatriotas. Y cuando alguno de los restantes poderes del Estado actúa frente a él o contra él con ligereza o arbitrariedad, cualquier habitante del país puede pensar: "si esto le sucede al Primer Magistrado, qué no podrá sucederme a mí". Por ello la prudencia, la serenidad y la ponderación deben ser condiciones que se cultiven al extremo cuando se trata de hacer imputaciones al Mandatario por parte de cualquier ciudadano, y con mucha mayor razón si quien actúa es de aquellos a quienes la Ley de Leyes otorga el poder supremo para influir de manera incisiva sobre la suerte del Jefe del Estado o decidirla.

En anterior oportunidad, al contestar la denuncia, analicé las afirmaciones en ella contenidas e hice las correspondientes observaciones para demostrar cómo no existía correspondencia entre lo que se sugería como doloso e imputable al denunciado y la realidad de los acontecimientos, según se desprendían ellos de las pruebas aportadas como anexos. Ahora, los múltiples testimonios recogidos por los Honorables Representantes Investigadores y todos los documentos allegados al expediente, lejos de confirmar las denuncias, las contradicen o les restan fundamento.

En la primera fase de este proceso, Fernando Botero compareció ante la Comisión de la Cámara y no hizo otra cosa que rechazar cualquier compromiso del Presidente de la República en comportamiento alguno que pudiera merecer censura. Fue entonces su más encendido defensor. Sorprendentemente, apenas en enero de 1996 se convirtió en detractor de aquel a quien su conciencia le ordenaba defender, variando en materia grave la conducta que había asumido en sus indagatorias de agosto de 1995 y en su declaración bajo juramento de septiembre del mismo año. ¿Cómo, por qué y en función de qué designios ese Fernando Botero construyó después todo un montaje teatral y desplegó inusitada actividad acusadora?

Se trataba simplemente de tumbar al Presidente. Para ello, transformaron a Botero de defensor en acusador; para ello relacionaron su versión con la de Santiago Medina, con el propósito de contar siquiera con dos versiones semejantes, dado que entendían que una sola no sería suficiente para llevar el convencimiento a una politizada y manipulada opinión pública.

Dentro de esa torticera estrategia, han pretendido hacer creer que sobre el Presidente Samper pesa la obligación de responder simultáneamente por todos los procesos que se cobijan bajo el nombre ficticio y genérico de "proceso 8.000" y asumir la culpa que pudiera caber a cualquier miembro de la clase política, sin tener en cuenta que el proceso así llamado es en realidad un concurso de comportamientos diversos y diversos autores. No se puede permitir en justicia que ese "proceso 8.000" sea convertido en un saco sin fondo en el que todo quepa como raro propósito común, para justificar una operación política con la cual, maniobrada a través de numerosas imputaciones, aparece Colombia como si fuese solamente un lugar de tráfico de dineros de mala procedencia.

En esta segunda etapa del proceso el propósito ha sido cerrar la opción de la inocencia del Presidente, aun si no se pudieran concretar las imputaciones de responsabilidad por los actos que supuestamente sucedieron en su campaña. Para ello se ha estructurado la teoría del encubrimiento, consistente en haber adoptado desde su posesión una política de no persecución contra el narcotráfico; de dar equívocas instrucciones; de restarle apoyo a las Fuerzas Armadas; de despresidencializar la lucha contra la droga; de no preocuparse por la captura de los miembros del cartel de Cali. De ese modo se podría argumentar que si no hay pruebas específicas y claras de conducta dolosa del Presidente durante la campaña, su comportamiento posterior como gobernante demostraría la existencia de un pacto secreto, sólo imaginable como resultado de las componendas para obtener la financiación ilícita.

Así es la monstruosa farsa: a falta de pruebas para probar autoría del Presidente en supuestas financiaciones electorales, podría ser ingenioso demostrarlo por una supuesta negligencia posterior como mandatario en la persecución del narcotráfico. Así se intentaría cerrar el círculo, aunque fuera necesario llevar el argumento al extremo de descalificar al Mandatario por la extrañeza que cualquier persona sentiría ante la noticia de allanamientos irregulares con amenazas a niños de corta edad en una fiesta de Primera Comunión, a sabiendas de que ninguna relación tenía con medidas persecutorias o de retención de implicados en el comercio de la droga.

Todo a despecho de una poderosa evidencia en contrario: ¿cuándo y en tan corto tiempo un gobierno había logrado propinar golpes tan duros a las más fuertes y hábiles organizaciones del comercio de drogas en el mundo, como los que ha asestado a los carteles el gobierno de Samper?

No resultará. En todo y por todo, este cargo ha sido ampliamente desmentido por el mismo Botero, que lo ingenió o fue utilizado para formularlo, y por todos aquellos que vinieron a declarar en el proceso: el ex Ministro de Justicia Martínez Neira, el Director de la Policía Nacional, el Comandante del Ejército, y aun el Propio Presidente, que ha aportado pruebas concluyentes y mostrado al mundo hechos concretos de que todo lo que se dice sobre el presunto encubrimiento es falso, que no hay tal que se estuviese protegiendo a los miembros del cartel en cumplimiento de un supuesto *do ut des* relacionado con entregas de dinero en la campaña.

La sorpresa en este juego ha sido que quien se quiso hacer aparecer como acusador del Presidente, Santiago Medina, es en realidad el gran acusador de Botero, como Botero lo es de Medina. Medina acusa a Botero de frente y sin tapujos y al Presidente de tangencial manera, cuando cree que puede escapar así al peso de la ley. Botero resiste con la esperanza de que el gobierno lo defienda y le evite todo riesgo por su conducta. Después, desesperado, se convierte también en acusador del Presidente mientras se declara él mismo como mero encubridor por negligente, falta leve que, no obstante, decide lavar haciéndose al cargo de Ministro de Defensa para desde allí derramar el agua lustral sobre sus culpas. ¿Podrá ser creíble toda esta fábula? ¿No es más lógico deducir que su afanosa búsqueda del Ministerio de la Defensa era justamente para mitigar, en reciprocidad por el favor recibido, la persecución al Cartel que ya el Presidente había anunciado y ordenado como prioridad de su gobierno? Lo que no imaginó fue que el Presidente tarde o temprano insistiría en la ejecución de una política que era no sólo su propia convicción sino también un compromiso solemne ante el país y ante el mundo.

Ante esta realidad, Botero, desde cuando fue detenido y hasta ahora, ha dedicado su poderosa fortuna a montar un tinglado, dirigido por asesores foráneos, para hacer creer que él es el inocente y otros los culpables y rehacer su popularidad perdida. Los documentos que el DAS decomisó a su asesora extranjera, la señorita Lysa Myr, que en copia obran en el expediente, muestran ese patético esfuerzo por aprovechar cualquier malqueriente del Presidente en su empeño por desacreditarlo, sin importarle la suerte de la República.

Pero el gran detractor de Botero es el propio Medina, quien sin titubeos asegura que fue Botero quien lo envió a Cali y que fue él mismo quien organizó el manejo de las grandes sumas de dinero que de allí recibieron. En cambio, acusaciones rotundas de Medina contra el Presidente no existen. Sólo referencias, por cierto muy vagas e inconsistentes, a un presunto conocimiento del Candidato de sus gestiones con los Rodríguez y alusiones gasesosas a relaciones equívocas.

Se ha tratado de darle validez acusatoria a cualquier encuentro fortuito y relación pasajera del Presidente con personas que tuvieran en su pasado o en su presente algún tipo de vínculo con actividades ilícitas. ¿Quién que haya hecho campañas políticas no ha tenido que relacionarse con toda clase de gentes? En la actividad política no es extraño ver en las campañas a multitud de personas con las cuales apenas si se establece una relación o una amistad transitoria. Por ello bien se sabe que de ese trato no surgen compromisos de cada candidato con cuanta persona se acerca a apoyar o a prestar su concurso. ¿Cómo pedir certificado de inocencia o de limpios antecedentes a todo el que se arrime a actos públicos, a manifestaciones, a eventos de promoción? En cambio sí es posible no recibir aportes de individuos u organizaciones que pudieran ensuciar una actividad, la política, que no sólo exige hacerse tan limpia como cualquier otra sino aún más. Precisamente por eso Samper expidió el Código de Ética, para precaver ingreso de dineros dudosos. Esto hizo Samper en un esfuerzo para garantizarles a los colombianos que ninguna relación llegaría a tener jamás, ni siquiera por interpretaciones equívocas, con gentes que obren al margen de la ley.

En el evento de que algún dinero de origen desconocido se hubiera filtrado a la campaña, aun contra la expresa prohibición del Candidato, las preguntas claves y, por supuesto, su respuesta y comprobación, serían: ¿cuándo, dónde, cómo, a qué horas el candidato Samper estuvo con los presuntos donantes? ¿A qué hora y en qué circunstancias pudo adquirir con ellos compromiso alguno para cuando llegara al poder? Este tema, que debería haberse constituido en el meollo de las acusaciones, brilla por su ausencia. Sólo aparece el cuento de un supuesto dictado de Botero a Medina de los cinco compromisos que el Candidato adquiriría a cambio de las millonarias donaciones; pero que Botero niega de manera enfática.

Punto trascendental para este análisis es observar que a lo largo de las mismas exposiciones de sus detractores, nunca se pone en duda la actitud pulquérrima de Ernesto Samper en el manejo riguroso del patrimonio público o de los recursos destinados a los menesteres políticos. Al contrario, esta imagen transparente, que corresponde al sentimiento que sobre el actual Presidente tienen los colombianos, es reiterada por el mismo Botero, y nadie, dentro del proceso ni fuera de él, ha pretendido desvirtuarla. De Samper muchos discrepan en temas de gobierno, otros pueden tener la idea de un político si se quiere hábil, siempre constante, exitoso; pero en lo que todos coinciden es en que de ninguna manera se trata de un logrero o aprovechador para su propio peculio. ¿Podrá decirse lo mismo de todos y cada uno de sus detractores? ¿Especialmente de Botero y Medina?

Este sentimiento por la personalidad austera y clara de Samper fue expresado por el mismo Botero cuando todavía no se había dejado convencer de que su propia salvación dependería de la destrucción del Presidente. En la página 1 de su indagatoria rendida el 13 de septiembre de 1995 se lee: "mi cercanía con el doctor Samper me permite afirmar con pleno y total fundamento que se trata de un hombre honrado y pulcro. En tal condición expresó en múltiples oportunidades a los altos directivos de la Campaña que debía organizarse el esfuerzo financiero de tal suerte que se tomaran todas las precauciones para evitar la eventual filtración de dineros de dudosa procedencia en las arcas de la campaña. Me atrevo a señalar que este punto era casi una obsesión para el doctor Samper".

En los tiempos modernos los ciudadanos ven cómo, aprovechando el desprestigio de la clase política, se construye el espectáculo que consiste en montar la escena propicia para captar la atención de la acusación comprometiendo a la opinión pública. No importa que rueden cabezas con tal que rueden. ¿Se busca algún propósito noble acusando de esa manera? ¿O será, como muestra el autor de *Los Intereses Creados*, "el tinglado de la antigua farsa", en el que se juega con los sentimientos colectivos en procura de transitoria fama, sin importar propósitos más altos? Es una antigua técnica la de arruinar al contrario menoscabando su pulcritud.

Botero repitió una y otra vez en esta segunda etapa de sus versiones, que la campaña había llegado a la segunda vuelta en condiciones precarias desde el punto de vista financiero, para hacer creer el pretendido desespero del Candidato Samper que le habría llevado a ceder ante los dineros fáciles. Tal afirmación está contradicha con las evidencias que se han aportado sobre la real situación y es bien sabido que grupos financieros importantes concurrieron a dar aportes para la segunda vuelta.

La supuesta teoría sobre una gestión política de imagen y una gestión de maquinaria política, como si las dos se excluyesen, para demostrar la imposibilidad de financiar una campaña que intentara cubrir los dos frentes, no pasa de ser un cuento. Las campañas electorales son así aquí y en cualquier parte del mundo: nadie que hoy pretenda ocupar los altos cargos de gobierno por el camino del sufragio puede darse el lujo de trabajar con la imagen sin contar con los que lideran a las comunidades y son artífices del voto o, solamente, hacer política de barrio y de pueblo sin contar con la imagen. Así son los tiempos modernos. Los medios de comunicación han llegado a constituir un poder tan grande que se requieren millonarias sumas para consolidar prestigios, como se requiere muchísimo dinero para movilizar las gentes a las urnas. Las democracias modernas, en contra de lo que se pensaba, no atraen al ciudadano fácilmente al voto; arduamente un candidato puede llegar a una posición política sólo con su programa, su voz o su discurso, por más eminente y calificado que sea. En cambio, un hombre mediocre, sin vocación para el mando, puede llegar al comando del Estado aupado por los medios de comunicación. De igual manera el poder político que otrora ejercían los partidos, es ahora patrimonio de periódicos, revistas y programas de radio o televisión. Esto parece ser bueno y se hace en ejercicio de la libertad de opinión y prensa, que todos defendemos como patrimonio sagrado de la democracia. Sin embargo, ¿hasta dónde en la medida en que se mezcla libertad de opinión con industria de opinión, se asegura la alta estirpe de los dirigentes, la prestancia de los conductores del Estado?

Mírese bien cómo es de relativo establecer en estos tiempos medidas anticipadas al costo de las campañas políticas, cuando los valores que hay que pagar son incalculables. La radio y la televisión, que son ahora los medios más idóneos para comunicar programas y proyectos políticos, se llevan casi la totalidad de la inversión, y nadie que no tenga mucho dinero o pueda arbitrarlo puede aspirar a servir al Estado desde el parlamento o desde el ejecutivo. ¿Será esto la democracia? Por supuesto que no. Por eso la tarea de repensar los mecanismos de financiación a la política y garantizar que el Estado la asuma en sus mayores proporciones, es urgente e ineludible.

Destruir Presidentes, ministros, funcionarios de toda índole puede ser fácil, y muy fácil también apoyar por razones de oportunidad a quien parece victorioso; pero, ¿esto asegura la sobrevivencia de la democracia? En el proceso se ha montado una muy fuerte presión sobre los gastos de la campaña, sin parar mientes en cómo sucedieron las cosas. Una imperfecta valoración contable, errónea y llena de pésimas apreciaciones condujo, seguramente de buena fe, al Fiscal General de la Nación a pretender que se había cometido toda clase de ilícitos. No se ha procedido con criterio e igual rigor frente a la "otra campaña", seguramente porque investigarla no produce iguales dividendos políticos. No se quiere ver que mientras la una, la de Samper, tuvo una sola organización nacional, que hacía posible y fácil el control de las autoridades, la otra tuvo tesorerías regionales autónomas, para que ellas no rindieron cuentas y así pareciera que el gasto era menor. Mecanismo ingenioso que ha permitido esconder cómo y de dónde salieron los recursos para esas tesorerías regionales. Se juega fácilmente con las debilidades de la ley, por el poder y nada más que por el poder. Qué lejos estamos de los hermosos tiempos en que se pensaba que la Patria estaba por encima de los partidos. Pero todo es transitorio. Bajo la urgencia de ambiciones políticas se sacrifica el beneficio del pueblo.

¿Tiene o tuvo Samper responsabilidad en la cuestión de dotar de recursos a las Tesorerías regionales durante los pocos días que hubo entre la primera y la segunda vueltas, habida cuenta de la ingente tarea que se impuso en el proselitismo político? Centralizado como estaba el manejo de recursos, confiado éste a personas que se habían ganado su confianza, natural era que el Candidato se ocupara de los menesteres que sólo él podía cumplir. Por eso únicamente los responsables de las finanzas pueden responder cómo lo hicieron y cuándo lo hicieron. Y lo mismo debe predicarse de la cuestión de las cuentas y su rendición ante las autoridades competentes. No existe en el proceso prueba alguna de que el Candidato hubiera tomado parte directa en el manejo de cuentas o dotación de recursos a las tesorerías regionales por la elemental razón de que el día tiene apenas 24 horas y Colombia es un país complejo y extenso, que no puede ser recorrido ni en pequeña parte en escasos 20 días mientras, al tiempo, se graban decenas de programas de televisión y radio, se habla a los gremios, se recibe a los políticos y hasta se concreta con el Pibe Valderrama su compromiso con el número 10 en el tarjetón, que era no sólo el número de su camiseta como jugador estrella sino también el de su predilección política.

Fuerza es aceptar, porque así lo exigen las pruebas, que no existió responsabilidad alguna de Ernesto Samper en lo que era de la incumbencia de otras personas y éstas lo asumieron con celo excluyente. Invoco como testimonio de excepcional importancia el del Dr. Francisco John Gómez Restrepo, inexplicablemente omitido por la Fiscalía, cuando dice, al hablar de una reunión de tesoreros de la campaña a la que asistió en los inicios de la misma: "el Dr. Ernesto Samper Pizano nos dio el agradecimiento por haber aceptado la responsabilidad de manejar las Tesorerías en los diferentes Departamentos del país y nos manifestó que era nuestra responsabilidad conseguir esas donaciones que debían provenir de personas limpias y honestas. Esta fue la primera y única intervención que tuve del Doctor Ernesto Samper Pizano. Él visitó a Medellín muchas veces y yo lo acompañé en todas esas visitas, en las reuniones que efectuaba, con la prensa o con otros grupos políticos y nunca jamás volvimos a hablar de dineros, todos los problemas de Tesorería fueron tratados con el Doctor Santiago Medina" (Declaración del 20 de octubre de 1995 ante la Fiscalía).

No se requiere, pues, mucha perspicacia para adivinar que el Dr. Samper estuvo plenamente dedicado a la cuestión de su programa político y poco tuvo que ver con la cuestión financiera. Botero Zea ideó la empresa llamada "Campaña presidencial" y la organizó en forma tal que no se movía una hoja sin su voluntad y la de su tesorero Medina, a quien llevó e instaló como poderoso señor en remplazo de Mónica de Greiff, inicial Tesorera, contra quien él, Botero, enfiló todas sus baterías hasta obtener de Samper su remplazo.

Al doctor Samper se le ha llamado encubridor cuando él mismo puso en manos de la justicia el asunto de su responsabilidad en el supuesto ingreso de dinero del narcotráfico a la Campaña. Apenas pasadas las elecciones ya él mismo estaba demandando de la Fiscalía General de la Nación una rigurosa investigación, como lo haría luego ante el organismo que por mandato de la Carta debe averiguar la conducta de quien ejerce la Presidencia de la República. ¿Cuál encubrimiento si, además, cuanto contra él se tejía era de sindicación publica?

Cualesquiera que sean los juicios de valor sobre los presuntos hechos delictivos cometidos o atribuidos, es lo cierto que de ninguno de ellos se puede sindicar de manera concreta, específica y cierta al que ocupa en este período constitucional el cargo de Presidente de la República. Por el contrario, todo lleva a concluir que no tuvo arte ni parte en los hechos que se investigan y de los cuales se ocupa la autoridad competente dentro de los procesos que de manera particular se siguen contra varias personas.

Mi responsabilidad, H.H. Representantes, es sólo la de demostrar la conducta del Presidente. No me corresponde investigar ni acusar o defender a otras personas vinculadas con la campaña presidencial de 1994 o con el gobierno. Tampoco a Ustedes compete en este proceso. Qué bueno sería, sin embargo, que dictado el veredicto absolutorio, como las pruebas lo imponen, asumiéramos todos los colombianos el papel de fiscales para asegurar que no se baje la guardia en la lucha contra la corrupción. Para exigir a quienes la ley asigna la responsabilidad de perseguir el delito, que dediquen sus esfuerzos a identificar los focos de la delincuencia y desbaratarlos, sin que se apague todo ímpetu investigativo cuando las personas involucradas o los casos denunciados no generen noticias de prensa o alabanzas de opinión. Porque el alma de los colombianos seguirá enferma por siempre y para siempre si al cabo de los meses se llegara a la triste conclusión de que todo el afán purificador muere cuando se frustra el propósito de destruir al Presidente Samper.

CAPÍTULO I

HECHOS Y CARGOS

Como quiera que ya la Honorable Comisión de Investigación y Acusación había dictado un auto inhibitorio en el proceso investigativo que abrió por expresa petición del Señor Presidente de la República, era requisito para revocarlo, de acuerdo con el artículo 328 del Código de Procedimiento Penal, que obraran nuevas pruebas que desvirtuaran los fundamentos que le habían servido de base.

El Señor Fiscal General de la Nación consideró que en su poder obraban elementos probatorios nuevos suficientes como para reabrir la investigación. Sin embargo, no se limitó a "pasar inmediatamente la actuación a la Cámara de Representantes", como lo dispone el artículo 468 del mismo C.P.P., sino que consideró pertinente elevar denuncia formal contra el Primer Mandatario. Por esta razón, los hechos y cargos que son examinados se derivan, en primer término, de las consideraciones de la denuncia y las pruebas a ella agregadas.

1.1. HECHOS TOMADOS DE LA DENUNCIA

1° "Importantes sumas de dinero de origen ilícito contribuyeron al financiamiento de la campaña electoral de ERNESTO SAMPER PIZANO durante el año de 1994".

2° "La presentación de los documentos con fundamento en los cuales el Consejo Nacional Electoral expidió el acto administrativo que convalidó las cuentas y ordenó reponer el dinero de la campaña, se hizo con evidente alteración de la verdad en documentos privados que sirvieron de prueba o alteración de la verdad por destrucción, supresión u ocultación de elementos probatorios sobre valores realmente ingresados pero no incorporados a la contabilidad, para con ello inducir en error a la Administración Pública y obtener la orden de reposición de dinero. Todo indica, pues, que se produjo la defraudación al patrimonio del Estado".

3° "Se ponen en conocimiento de la H. Cámara (…) los hechos que tienen relación con el posible propósito de ocultar la verdad y de obstruir la acción de la justicia, dada su relevancia probatoria y, además, en atención a la competencia que asiste al Congreso de la República para investigar eventuales causales de indignidad".

1.2. CARGOS TOMADOS DE LA DENUNCIA

" … ingreso a la campaña presidencial de ERNESTO SAMPER PIZANO de dineros provenientes de actividades delictivas; atentados contra la fe pública en la contabilidad, exceso sobre el tope máximo legal de la financiación, fraude a las leyes electorales, obtención indebida de recursos del Estado y, maniobras encaminadas al encubrimiento de los hechos".

CAPÍTULO II

PRUEBAS DENTRO DEL PROCESO

2.1. NUEVAS PRUEBAS ANEXAS A LA DENUNCIA

El Fiscal General de la Nación adjuntó las pruebas que integran los anexos 1 a 9 de la denuncia, que a continuación se relacionan, y las cuales, según él,"examinadas de acuerdo con las reglas de la sana crítica aplicables a los testimonios, documentos y prueba pericial, y concordadas con el acervo ya existente", tendrían "fuerza demostrativa suficiente" para comprometer "la responsabilidad del entonces candidato y actual Presidente de la República" .

2.1.1. Relación de pruebas agregadas a la denuncia:

(a) declaraciones de FERNANDO BOTERO ZEA, rendidas en sucesivas diligencias de ampliación de indagatoria los días 22 y 30 de enero, 5, 7 y 8 de febrero del año en curso (anexo 1);

(b) documentos de constitución de la sociedad CAFÉ EXPORT LTDA y de identificación de sus socios y fotocopias de cheques girados por esta sociedad al Sr. EDUARDO GUTIÉRREZ (anexo 2);

(c) declaración de SANTIAGO MEDINA SERNA, rendida en ampliación de indagatoria el día 26 de enero de 1996 y copia de la ampliación de indagatoria rendida por Medina Serna el 12 de septiembre de 1995, conocida y analizada ya por la Honorable Comisión de Investigación y Acusación dentro de la investigación preliminar, pese a lo cual el Fiscal la agregó nuevamente a su denuncia (anexo 3);

(d) declaración de un testigo con reserva de identidad, rendida el día 3 de febrero de 1996 (anexo 4);

(e) declaraciones de la Señora Alba Patricia Pineda de Castro, rendidas los días 26 de enero y 7 de febrero de 1996 (anexo 5);

(f) declaraciones de varias personas que sirvieron como tesoreros regionales durante la campaña presidencial, todas anteriores a la fecha del auto inhibitorio dictado por la Honorable Comisión de Investigación y Acusación que, sin embargo, el Fiscal consideró como nuevas seguramente por cuanto no las había trasladado a la Comisión en su debido momento. Estas declaraciones, constitutivas de los anexos 6 y 7, son las de Edgardo Sales Sales (2 de noviembre de 1995), Alberto Guillermo Villaveces Medina (19 y 20 de octubre de 1995), Francisco John Gómez Restrepo (17 de octubre de 1995), Belén Sánchez Cáceres (20 de octubre de 1995) y Silvio Mejía Duque (22 de noviembre de 1995);

(g) informe del C.T.I. sobre una cuenta corriente del Sr. Héctor Fabio López, contra la cual fueron girados dos (2) cheques de cien millones de pesos cada uno que el Señor Santiago Medina, como Tesorero General de la Campaña SAMPER PRESIDENTE, entregó al Dr. Silvio Mejía Duque con destino a la Tesorería de Antioquia, y listado parcial de una base de datos cuya incidencia en el proceso no fue explicada por el denunciante (anexo 8), y

(h) dictamen pericial sobre las cuentas de la Campaña SAMPER PRESIDENTE, practicado por dos profesionales grado II de la Fiscalía, cuya identidad el Sr. Fiscal General de la Nación consideró necesario guardar en reserva (anexo 9).

De todas las anteriores pruebas resulta evidente, por el texto de la denuncia, que para el denunciante las fundamentales serían las declaraciones posteriores al 22 de enero de 1996 del Sr. Fernando Botero Zea –quien, por "la posición ocupada en la campaña se hallaba en condiciones privilegiadas para conocer sus intimidades … [y] fue el Primer Ministro de Defensa del actual gobierno … reiteradamente elogiado por su entereza por el Primer Mandatario y su Ministro del Interior– y el expertício rendido por los profesionales sin rostro, grado II, al servicio de la Fiscalía General de la Nación.

De estas pruebas se vale la Fiscalía para, principalmente, configurar el indicante hecho del posible compromiso del candidato con las actividades irregulares que pudieron sucederse en la Campaña, por dos razones básicas: una, la situación financiera de la Campaña (segunda vuelta); y dos, la coincidencia aparente de los declarantes sobre el dicho compromiso del candidato. Así lo señala el Fiscal como denunciante:

"Y aunque es evidente que entre las versiones de SANTIAGO MEDINA y FERNANDO BOTERO ZEA existen aspectos encontrados frente a la responsabilidad de este último, asunto de la mayor importancia que oportunamente la Fiscalía deberá resolver por ser de su competencia, es lo cierto que uno y otro coinciden en señalar al entonces candidato ERNESTO SAMPER PIZANO como gestor y conocedor de la forma de financiación de su campaña.

Igualmente corresponderá a esa Corporación examinar si siendo el factor económico uno de los problemas capitales que al iniciar la segunda vuelta afrontaba la campaña, pueda resultar razonable que el protagonista central, el propio candidato, se desentendiera de resolver el neurálgico punto financiero y no advirtiera la metamorfosis de su Campaña que pasa de un déficit angustioso a una situación de solvencia".

Estamos pues ante el hecho político y jurídico de la presentación de la denuncia por parte del Señor Fiscal General de la Nación, basada en sus líneas principales en versiones contrapuestas, contradictorias y contradichas de dos de los funcionarios de la Campaña, condiciones que, advertidas por la Fiscalía, no fueron sin embargo obstáculo para estructurar sobre ellas los cargos.

2.1.2. Soporte de demostración contenido en los anexos

En escrito anterior presentado a la Honorable Comisión y a la opinión pública, realicé ya un estudio preliminar de los "Anexos" de la denuncia. Sin pretender repetir lo allí expuesto, procedo ahora a presentar la correspondiente argumentación jurídica.

Me ocuparé en primer término de los Anexos diferentes a los contentivos de las declaraciones de Botero (No. 1) y Medina (No. 3) y el dictamen pericial (No. 9), para demostrar que en aquellos no existe imputación alguna a ERNESTO SAMPER PIZANO. Analizaré luego los anexos 1, 3 y 9 (declaraciones de Botero y Medina y dictamen pericial), por cuanto de éstos se podría deducir responsabilidad del Presidente, o podrían contener la que algunos han dado en llamar la "prueba reina". Este análisis, así como su confrontación con las múltiples pruebas recaudadas tanto en esta nueva etapa investigativa como en la anterior, demostrarán con total seguridad, Honorables Representantes, que la conducta del PRIMER MAGISTRADO de los colombianos ha sido siempre pulcra y recta, no sólo en los términos de la ley penal sino también examinada a la luz de los cánones de la moral y la ética políticas, que algunos invocan como los parámetros a los que debe someterse la actuación de los líderes, por considerarlos más estrictos aún que los de la ley.

2.1.2.(a). La documentación de EXPORT CAFÉ LTDA. (anexo 2)

El Anexo número 2 que el Fiscal acompaña a su denuncia, le sirve para demostrar que se constituyó la sociedad Export Café Ltda cuestión a la que el denunciante atribuye importancia por la referencia que a dicha sociedad hizo el Sr. Guillermo Pallomari, detenido en los Estados Unidos, en declaración tomada por fiscales colombianos que tuvieron que someter sus preguntas a la aprobación de los fiscales norteamericanos y tuvieron que aceptar que éstos decidieran no solamente qué podían preguntar sino qué podía responder el interrogado.

El Señor Pallomari, en su declaración que ya había sido analizada por la Comisión en la etapa de investigación previa, hizo alusión a la manera como se hacían giros de dinero a través de Export Café Ltda. con destino a las campañas electorales e involucró en dichas operaciones al Banco de Colombia. Pero esa declaración que si bien serviría para indicar que de la cuenta de Export Café se habrían cambiado a efectivo valores destinados a personas vinculadas a la Campaña, no ofrece información suficiente puesto que no aparece cheque alguno girado a tales personas o recibido por éstas, y, lo que es más importante, no hace imputación alguna a Ernesto Samper relacionada con comportamiento o acción suya constitutiva de hecho punible. Por tanto, este anexo No. 2 no contiene elemento probatorio alguno que pudiera servir de base para deducir conducta impropia del Candidato.

2.1.2.(b). El testigo con reserva de identidad. (anexo 4)

Sorprende ante todo que el Fiscal General de la Nación hubiera considerado necesario aceptar a un testigo su pedimento de reserva de identidad en frente a hipotéticos cargos al Presidente de la República. Si se parte del hecho y el fundamento de derecho según el cual la figura del testigo con reserva de identidad surgió a la vida jurídica como protección del medio de prueba, por el riesgo que aquél podía correr al declarar contra criminales de especial peligrosidad, integrantes de bandas organizadas dedicadas al narcotráfico, el terrorismo, el secuestro, la extorsión o la tortura, perturba el ánimo que tal circunstancia pudiera ser siquiera remotamente imaginada frente al Presidente de los colombianos.

Podría no referirme a este testimonio puesto que no es dado a la Honorable Cámara considerarlo por el expreso mandato del inciso 2o. del parágrafo del artículo 2o. de la ley 273 del 22 de marzo último, que prohíbe trasladar testimonios con reserva de identidad a los procesos que se sigan en el Congreso Nacional contra los altos funcionarios del Estado. Sin embargo, haré esta mención porque se supone que quien acude a la reserva de identidad para declarar, lo hace porque tiene el propósito de revelar la verdad y toda la verdad en el asunto que se investiga, y depondrá sobre todos los hechos sin excepción. Por tanto, conocedor como soy de que en este proceso hay no sólo ingredientes jurídicos sino políticos y de opinión pública, no puedo permitir que se diga que me escudo en la ley 273 para librarme de hacer referencia a un testigo clave, en cuyas afirmaciones podría estar la verdad de lo sucedido.

En mi escrito anterior califiqué este testimonio como un fiasco porque todos creían que la Fiscalía contaba con la pieza maestra que revelaría la verdad suprema, pero lo único que de sus palabras se desprende es que la publicidad consumió la porción mayoritaria de los recursos y que al finalizar la primera vuelta la campaña estaba escasa de fondos, cuestiones que son lugares comunes en la actividad política. Y sólo un hecho que podría catalogarse de comprometedor: que de un momento a otro, ya en el mes de junio, comenzó a ingresar una cantidad de dinero en efectivo, respecto del cual supuestamente se evadió el ingreso contable. ¿Qué imputación hay aquí a Samper que pudiera comprometerlo? ¿Señaló el testigo, o de su dicho se desprende siquiera de manera remota, la autoría al menos indirecta del Candidato en la recepción o distribución de dineros en efectivo? ¿O que la contabilidad era su responsabilidad? Ciertamente que ni lo uno ni lo otro.

2.1.2.(c). Declaración de doña Alba Patricia Pineda (anexo 5)

Esta testigo refiere la manera como funcionaba la tesorería a cargo de Santiago Medina, señala que Medina distribuyó dineros en efectivo a diversas personas haciendo creer a algunos de los colaboradores de la campaña que dichos dineros provenían de una donación de la multinacional B.P. (bi-pi), hecha dizque por medio de Alberto Giraldo. Por ninguna parte el testimonio permite siquiera establecer su origen, porque la testigo lo ignora. En cambio deja claro que quien los manejaba era persona distinta de Samper y nada le consta en cuanto a la hipotética participación de él en su recaudo o distribución.

La testigo, como se verá luego, acude con testimonio de igual contenido (no podría ser otro) a la Comisión de Investigación y Acusación de la Honorable Cámara.

2.1.2.(d). Declaraciones de TESOREROS REGIONALES (anexo 6)

Se acopió como contenido del anexo 6, como prueba de cargo, un conjunto de declaraciones de personas que actuaron como tesoreros en sus regiones para la campaña SAMPER PRESIDENTE. Ellos son Edgardo Sales Sales, Alberto Guillermo Villaveces Medina, Belén Sánchez Cáceres y Francisco John Gómez Restrepo.

Con tales declaraciones se pretende demostrar que a las tesorerías de Medellín, Barranquilla, Quindío y Bogotá llegaron fondos de la campaña en efectivo o, en el único caso de lo entregado por Medina al Tesorero de Antioquia, en cheques cuya procedencia ha resultado dudosa. Sin embargo, de ninguna de las declaraciones se desprende cargo alguno contra el Dr. Samper, porque no se le hace. Por el contrario, se enaltece el comportamiento del candidato, como el de un líder constantemente preocupado por la trasparencia de los recursos que llegaran a la Campaña y confiado en la corrección inmaculada de sus colaboradores encargados de recibir los aportes. Lo que a este respecto el declarante John Gómez Restrepo, tesorero del Departamento de Antioquia, afirmó, y que transcribí atrás, fue idéntico a lo que todos los otros testigos afirmaron.

Entre estas declaraciones hay una que llama la atención: la del Dr. Alberto Guillermo Villaveces Medina, Tesorero para el Distrito Capital de Santafé de Bogotá, quien asegura que no recibió las sumas de dinero que aparecen en los recibos entregados por Santiago Medina como supuestamente firmados por él. En especial tacha de totalmente falsificada su firma en uno por 75 millones y pone en duda otro por 6 millones. El tercero de los presentados por el Tesorero General aparece sin firma y el declarante asegura que ese dinero no le fue entregado.

Llama la atención de esta declaración no sólo el que el testigo tache de falsos comprobantes entregados por Santiago Medina con los cuales al parecer pretendía justificar egresos que no correspondían a la realidad, sino que la Fiscalía, al momento de relacionar esta prueba, no lo hubiera puesto de manifiesto sino, al contrario, hubiera permitido que las cantidades en ellos expresadas fueran incluidas sin observación en la lista de supuestos giros a las tesorerías regionales elaborada por los peritos del mismo organismo fiscalizador y que forma parte del anexo 9.

En resumen, con las cuatro declaraciones que integran el anexo en comentario, se podría demostrar que a las tesorerías regionales llegaron dineros en efectivo o en cheques cuya procedencia sería dudosa y que los operarios de la labor fueron directamente Medina y Botero, pero jamás establecer responsabilidades personales del Candidato Ernesto Samper, puesto que allí, en esas declaraciones, no hay cargo alguno contra él. Antes bien, contienen referencias y afirmaciones que lo exoneran de toda responsabilidad.

2.1.2.(e). Declaración de SILVIO MEJÍA DUQUE E INFORME DEL C.T.I. (anexos 7 y 8)

A las dos piezas allegadas a la investigación como anexos 7 y 8 de la denuncia se les ha atribuido íntima relación y por ello conviene analizarlas en conjunto. Ellas son la declaración del Dr. Silvio Mejía (anexo 7), y el Informe del C.T.I. sobre la cuenta corriente contra la cual se giraron unos cheques que aquél recibió (anexo 8).

La declaración del Dr. Silvio Mejía permite establecer, según el decir del denunciante, que "para la segunda vuelta viajó a Bogotá y se entrevistó con el Doctor Fernando Botero Zea, al cual le explicó las dificultades financieras que los grupos políticos enfrentaban en la región (Departamento de Antioquia), a lo cual éste le respondió que aún no se había completado el monto que les sería destinado y se hacía necesario que ellos colaboraran en la obtención de las donaciones de empresarios antioqueños. Frente a su insistencia, fundada en la premura del tiempo, Botero requirió la presencia de Santiago Medina a quien autorizó para enviar inmediatamente los dineros destinados para Antioquia. Fue así como Santiago Medina se dispuso a entregarle la suma de doscientos millones de pesos ($200.000.000.oo) en efectivo, pero Mejía Duque rehusó transportar tal cantidad de dinero, recibiendo entonces dos cheques, cada uno por valor de cien millones de pesos ($100.000.000.oo) a nombre de John Gómez, Tesorero Regional".

¿Qué se desprende de lo anterior? Varios hechos importantes: (a) que Fernando Botero estaba al tanto de las disponibilidades de recursos para las tesorerías regionales, tanto que cuando el Dr. Mejía le insistió en la necesidad de completar la cuantía asignada a su Departamento, no dudó en ordenarle a Santiago Medina que le hiciera entrega inmediata en la cuantía prevista; (b) que el tesorero Medina no sólo contaba con cuantiosas sumas en dinero efectivo sino que manejaba por fuera de los conductos regulares cheques en blanco a él entregados por su girador. Fue así como, no siendo el titular de la cuenta ni siéndolo ninguno de los funcionarios de la Campaña, pudo disponer de inmediato de los cheques, escribirlos a favor del Dr. Gómez y entregarlos al Dr. Mejía con la seguridad de la existencia de fondos; (c) que Medina gozaba de la confianza total del titular de la cuenta corriente. No en vano éste le dejó los cheques en blanco para que los llenara a su conformidad; (d) que el manejo financiero y de recursos era realizado por Medina y Botero en acción conjunta, como lo ratifican también los tesoreros cuyas declaraciones formaron el anexo 6 de la denuncia, entre ellos el Dr. John Gomez, y (e) que, como de todos los restantes testimonios se concluye, no es posible deducir participación alguna, directa ni indirecta, de Ernesto Samper en el manejo de los recursos o en la asignación de cuantías a las tesorerías regionales.

El anexo 8, por su parte, sigue el hilo establecido por las declaraciones de los Dres. Mejía y Gómez, para encontrar el origen de los cheques que, por cien millones cada uno, fueron entregados por Medina a John Gómez, sin responsabilidad, sobra decirlo, por parte de éste.

El llamado informe del Cuerpo Técnico de Investigación de la Fiscalía General de la Nación, que compone el anexo 8, permite deducir el titular de la cuenta corriente del BANCO DEL ESTADO contra la cual se giraron los cheques entregados al Tesorero en Antioquia, un individuo llamado HÉCTOR FABIO LÓPEZ AULESTIA, y que en dicha cuenta se movían grandes cantidades de dinero, algunas provenientes de persona al parecer vinculada con los hermanos Rodríguez. De dichos elementos debe deducir el lector la ilicitud del origen, porque la Fiscalía no agrega antecedentes de López Aulestia ni lo califica y ni siquiera da noticia de las actividades que desarrolla. Pero démoslo por sabido. De ello se concluiría, entonces, que Santiago Medina no debió recibir los cheques que luego entregó al Dr. Gómez Restrepo y que si lo hizo a sabiendas de su origen, violó con ello el Código de Ética promulgado por el Candidato Samper. Y queda una pregunta importantísima por resolver: ¿entraron estos cheques a la Campaña para destinarlos a la Campaña o se manejaron desde ella para realizar un especial y bien ingenioso lavado de activos, como todo indica que sucedió con el cheque por 40 millones entregado a la tesorería del Valle del Cauca?

2.2. Pruebas recaudadas y obrantes en el proceso, decretadas y recepcionadas tanto en la investigación previa de la Honorable Comisión de Investigación y Acusación como en la etapa posterior a la denuncia

No me he ocupado aún de las declaraciones de Botero y Medina agregadas a la denuncia por la Fiscalía, pese a lo cual me ocuparé ahora de las pruebas recogidas a lo largo de esta investigación, tanto en su etapa previa como en su momento formal. Utilizo esta metodología porque solamente en las declaraciones de Medina y Botero se hacen imputaciones a Ernesto Samper, por lo cual a la detenida y eficaz contradicción y valoración de tales testimonios se reduce en últimas el meollo de este proceso que se sigue contra el Sr. Presidente de la República.

En los puntos siguientes haré una breve referencia al contenido de tales pruebas, resaltando en ellas la referencias que pudieren existir al Candidato Samper.

2.2.1. Declaración de BERNARDO HOYOS MONTOYA. 27 de junio de 1995 en la Fiscalía

De manera expresa excluye al Presidente Samper de cualquier referencia que hubieran hecho los hermanos Rodríguez Orejuela en su presencia al hablar de ayudas a las campañas electorales. Cree que Botero y Medina sí pudieron establecer contacto con los del cartel de Cali (folio 45). Narra que los Rodríguez le dejaron escuchar una conversación telefónica en la que seguramente se referían a Botero y a Medina con las expresiones "el hijo del pintor" y "el hombre de los cuadros".

2.2.2. Declaración de ÁNDRES IGNACIO TALERO GUTIÉRREZ. 20 de julio de 1995

Relata los comentarios que Medina le hizo sobre la entrega de dineros provenientes del narcotráfico con destino a la Campaña del Dr. Samper. Nada extraño resulta que algunas coincidencias se den entre este relato que a Talero hizo Medina y el que luego él mismo haría a los medios de comunicación, a la Fiscalía y a la Comisión de Investigación puesto que la fuente de Talero es Medina y sólo Medina. Las discrepancias evidentes que aparecen entre una y otra versión tampoco son extrañas puesto que, como se verá más adelante, ni siquiera consigo mismo es coherente el propio Medina en sus declaraciones.

Resulta interesante, por otra parte, resaltar que el origen de las conversaciones entre Medina y Talero sobre el tema es la llamada que hace Medina a Talero, cuando éste estaba como Cónsul en Miami, para preguntarle, en el mes de octubre de 1994, si Talero sabía si había algo contra él (Medina) en los Estados Unidos, "refiriéndose a las autoridades norteamericanas"… y la petición siguiente de "que entrara en contacto con el jefe de la DEA en Miami para explorar la posibilidad de obtener inmunidad y protección a cambio de la entrega de los documentos y la información sobre la financiación de la Campaña presidencial".

Tan extraña petición no se explicaría sino en la medida en que Medina hubiera preparado, desde cuando estaba en la Tesorería de la Campaña, una trampa contra el Candidato con el fin de canjear luego la información por él fabricada a cambio de inmunidad y otras prebendas. Pero, ¿por qué requería inmunidad? ¿Sería que él pensaba que esta era la manera más segura de disfrutar la fortuna que obtuvo con los señores de Cali como si fuera para la Campaña? Es un tema que puede arrojar luces al lado de otros hechos que han resultado a lo largo de la investigación.

2.2.3. Declaración de MAURICIO MONTEJO SALGAR. 22 de agosto de 1995

Narra cómo los señores Medina Serna y Juan Manuel Avella le cancelaron la deuda por concepto de publicidad a través de Alberto Giraldo (pág. 3). Absolutamente para nada menciona a Ernesto Samper.

2.2.4. Declaración de MÓNICA DE GREIFF. 22 de agosto de 1995

La Doctora De Greiff, que se desempeñó como Tesorera en la primera etapa de la Campaña, reitera que las órdenes del Candidato fueron "precisas … en el sentido de no recibir recursos sobre los cuales no conociera su procedencia, así quedó estipulado también en el Código de Ética y tenía instrucciones de consultar sobre cualquier duda que tuviera respecto a dineros que pudieran llegar a la Campaña,..." (pág. 2, folio 155).

Niega, además, la existencia de algún "Pacto de Recoletos" del que habla Medina (pág. 4, folio 157), e insiste en que Samper fue enfático en que se debía cumplir estrictamente el Código de Ética. Asegura que todas las personas que estaban en la Campaña conocían el mencionado Código. Agrega que como soporte en la tarea de buscar recursos existió un comité financiero que funcionó con personas conocidas y respetables del país (pág. 4, folio 157).

2.2.5. Declaración de MIGUEL MAZA MÁRQUEZ. 24 de agosto de 1995

Dice que no le consta nada sobre la posible infiltración de dineros del narcotráfico pues no hizo parte de la Campaña (pág. 1, folio 26) y niega que en la reunión que sostuvo con Samper, De la Calle y Botero, para adherir al Candidato Liberal, se hubiera hablado de dinero. Rechaza asimismo que en tal reunión hubiera estado presente el Sr. Alberto Giraldo. (pág. 2, folio 270).

2.2.6. Declaración de JULIO ÁNDRES CAMACHO CASTAÑO. 30 de agosto de 1995

Dice no tener conocimiento directo sobre el posible ingreso de dineros del narcotráfico (pág. 1, folio 276), y relata un importante incidente con Medina que le demostró que él es un "hombre sin valores, sin principios y sin escrúpulos" (pág. 2, folio 297, fin de página).

Niega rotundamente cualquier nexo de Samper con los Rodríguez Orejuela. Califica esa suposición como "falsa y por ende calumniosa". Dice: "yo tengo más de 27 años de amistad ininterrumpida con Ernesto Samper, es un hecho público y notorio que él ha sido mi confidente y yo el suyo, puedo en consecuencia decir sin presunción que lo conozco tanto como las personas de su familia. Sé cómo piensa, cómo actúa, en qué cree, qué aborrece y de qué es capaz. Conozco a sus amigos, sus afectos, y con ese conocimiento que tengo de él puedo afirmar sin resquicios que no ha sido nunca amigo de los hermanos Rodríguez Orejuela, que no podría serlo, que repugna a su personalidad y a sus valores que lo sea ..." (pág. 3, folio 298).

Insiste en que le consta la prohibición impartida por Samper de recibir dineros de dudosa procedencia y agrega: "bajo la gravedad del juramento afirmo que ni presencié ni tuve información de que el Dr. Fernando Botero Zea o el Sr. Santiago Medina, o cualquier otra persona le hubiera hecho saber al candidato Dr. Ernesto Samper sobre la oferta o el propósito de cualquier persona vinculada al narcotráfico de donar dineros para la Campaña presidencial" (pág. 5, folio 300).

2.2.7. Declaración de ROBERTO FERNANDO CORREDOR GAITÁN. 31 de agosto de 1995

El doctor Samper: "no sólo una vez, sino en varias ocasiones fue enfático en que tuviéramos mucho cuidado no solamente con los dineros que podrían aportarse, sino aún más en las conversaciones mínimas, pues había una instrucción clara y permanente del rechazo absoluto de cualquier tipo de acercamiento a dineros de dudosa procedencia" (pág. 1, folio 359, y pág. 4, folio 362). Asegura además que Samper no manejaba la parte financiera (pág. 2, folio 360).

2.2.8. Declaración de JORGE ENRIQUE VALENCIA JARAMILLO. 31 de agosto de 1995

Explica básicamente en qué consistían sus funciones como Fiscal Ético de la Campaña y dice: "... Sí, me consta que el Presidente Samper fue reiterativo en cuanto a los cuidados y precauciones que debían tomarse en relación con los dineros de la Campaña" (pág. 2, folio 354).

2.2.9. Declaración (respuesta a cuestionario escrito) de ARMANDO BENEDETTI. 31 de agosto de 1995

"No tuve noticia, directa o indirecta, de la presencia de esos dineros en la Campaña. Por el contrario: lo que me consta fue una constante preocupación del candidato Samper no sólo por el origen de los dineros que se recolectaran para la Campaña, sino por la reputación pública de las personas de quienes se requirieran y obtuvieran contribuciones económicas. Esta especie de reiterado pudor no se restringía a los aportes, incluía la recomendación de evitar la presencia de tales personas en eventos políticos y actos de la Campaña" (págs. 2 y 4).

2.2.10. Declaración de CARLOS JULIO POSADA GRANADA. 7 de septiembre de 1995

En relación con la donación de las veinte mil camisetas que hizo a la Campaña, afirma no haber recibido ninguna contraprestación (pág. 2, fin de página). Nunca tuvo contacto con el Candidato Samper. En lo de las camisetas se entendió exclusivamente con Santiago Medina.

2.2.11. Declaración de MARÍA FERNANDA ZAMORA FRANCO. 7 de septiembre de 1995

Secretaria del Dr. Jorge Herrera, Tesorero en el Valle del Cauca. Se refiere al cheque de 40 millones que Medina envió a esa tesorería. No vincula para nada al Dr. Samper.

2.2.12. Declaración de JORGE HERRERA BARONA.7 de septiembre de 1995

Desmiente la versión de Medina en relación con el cheque de la Comercializadora La Estrella por cuarenta millones de pesos (pág. 4). Asegura que nunca trató con el Dr. Samper temas financieros pero el Dr. Fernando Botero, en los inicios de la Campaña, le transmitió las intrucciones del Candidato en cuanto al riguroso cuidado que debía tenerse para evitar que dineros oscuros pudieran infiltrarse.

2.2.13. Declaraciones de JUAN MANUEL AVELLA PALACIO

2.2.13.(a). Quien fue el Director Administrativo de la Campaña rindió indagatoria en sesiones cumplidas los días 14, 15, 18, 19 y 20 de septiembre de 1995. De sus extensas declaraciones se puede extractar, en resumen, lo siguiente:

– Fernando Botero fue el que diseñó la Campaña Samper Presidente y era el Director de la misma (pág. 5, folio 42).

– Por orden de Medina y Botero no registró facturas ni dineros en la contabilidad (pág. 7, folio 44 fin de página).

– Botero sí tuvo una gran participación en la toma de la decisión de los giros a las tesorerías regionales, puesto que él mismo se lo informó (pág. 9).

– Si se alteraron los libros de balances y mayor, tuvo que ser después de que salieron de su poder (pág. 10).

– Medina fue el responsable de haber puesto en contacto a Montejo con Giraldo para el pago de su deuda (folio 48).

– Botero tenía pleno control de los gastos y movimientos de la campaña (pág. 2, folio 58, 3), aunque había una gran desorganización financiera (pág. 5, folio 61).

– Medina jamás le entregó dólares en efectivo supuestamente recibidos por el candidato para la Campaña (pág. 6, folio 75).

– Si hubo falsedades en los documentos contables, su autor podría haber sido Medina. Él (Avella) jamás falsificó documento alguno (pág. 6, folio 75; pág. 10, folio 79, y pág. 11, folio 80).

– Nunca recibió regalo alguno de Elizabeth Montoya de Sarria para el Dr. Samper (pág. 6, folio 75).

– Botero le ordenó registrar como préstamos a la Asociación Colombia Moderna ingresos que no correspondían a tal naturaleza.

– En su trabajo seguía en todo las indicaciones de Botero (pág. 1, folios 109 y 110).

– Medina relacionaba, como ingreso a la Asociación, donaciones que no le entregaba (pág. 3, folio 111).

– Elisabeth de Sarria hizo una donación con un cheque que fue impagado por el banco (pág. 6, folio 153).

– Debe hacerse un estudio grafológico de la letra que aparece en los libros de contabilidad pues no es la suya. La que aparece en algunos documentos parece ser la de Medina (pág. 7).

— Botero tuvo pleno acceso a las actividades que Avella desarrolló durante la Campaña (pág. 9, folio 156, primer párrafo).

2.2.13.(b). El mismo Dr. Abella rindió también declaración juramentada antre la Comisión de Investigación y Acusación de la Honorable Cámara el día 8 de septiembre del mismo año. En ella responsabilizó a Medina de la consecución de los recursos y su manejo (pág. 2, folio 488); declaró que su relación con el candidato "era mínima, mi relación siempre fue con mi jefe el Dr. Fernando Botero Zea ..." (pág. 2, folio 488) y que "... El candidato siempre, públicamente a todos los funcionarios de la Campaña, nos manifestaba su preocupación de que pudieran ingresar dineros ilícitos y que él ya había determinado el Código de Ética de la Campaña, que por ninguna razón deberían ingresar dineros de actividades ilegales" (pág. 3, folio 489).

Acusó además a Medina de recibir donaciones sin entregárselas para su registro en la contabilidad de la Campaña (pág. 3, mitad de página, y pág. 8, folio 64), aseguró que Jorge Valencia Jaramillo y Medina eran los encargados de conocer de la procedencia de los recursos de la Campaña (pág. 5, folio 491) y negó que le hubiera dicho a Montejo que el pago por cuentas de publicidad a la Campaña lo haría Alberto Giraldo (pág. 6).

Afirmó, por último, en esta diligencia, que no tuvo conocimiento de que los Rodríguez Orejuela, Mestre, Murcillo o Helmer Herrera hubieran ofrecido apoyo económico a la Campaña (pág. 7).

2.2.14. Declaración de ALBERTO GIRALDO LOPEZ. 12 de septiembre de 1995

– "No tuve ninguna vinculación con esa Campaña fuera de haber entrevistado varias veces como periodista al candidato Samper" (pág. 2, folio 543).

– "Puedo decir que he sido su amigo [de Samper] aunque no persona de su círculo" (pág. 2).

– Estuvo en España visitando con Mestre a Samper, pero NO hablaron del tema económico. Solamente dijo "que su gran preocupación sería la de mantener una vigilancia muy estricta sobre la participación de dineros en su Campaña". (pág. 3, folio 544).

– "No tengo ningún conocimiento de relación amistosa entre el doctor Ernesto Samper y los hermanos Rodríguez" (pág. 4).

– Ofreció dinero a las dos campañas pero ninguna le aceptó (pág. 4, folio 545, y págs. 6 y 8, comienzo de página). La oferta la hizo al doctor Medina (pág. 5).

– Nunca estuvo en Cali con Medina y los Rodríguez y menos pudo saber de mensajes de Samper a los Rodríguez (pág. 6).

– No participó en la reunión de adhesión de Maza Márquez a la Campaña Samper (pág. 7).

– Jamás llevó dólares para pagar gastos de hospitalización de Samper en los Estados Unidos cuando éste fue herido en el atentado en el Aeropuerto Eldorado (pág. 9).

2.2.15. Declaración de JOSÉ ROBERTO PRIETO URIBE. 18 de septiembre de 1995

Sostiene que Medina pagó a su empresa, RADIODIFUSORES UNIDOS S.A., con dólares en efectivo y un cheque en dólares (pág. 4).

2.2.16. Declaración de SANTIAGO SALAH ARGÜELLO. 19 de septiembre de 1995

Niega que la señora Elizabeth de Sarria le hubiera donado a Samper, por su intermedio, una camioneta para su campaña en 1990 (págs. 3 y 4) y asegura que un cheque girado por él, en garantía, al Sr. Jesús Sarria, y para el cual dio orden de no pago por haberse concluido el negocio que le dio origen, apareció tres años después entregado en forma fraudulenta a la campaña del Dr. Samper.

2.2.17. Declaración de LEONARDO GARCÍA SUÁREZ. 19 de septiembre de 1995

Narra sus actividades como funcionario de la Campaña SAMPER PRESIDENTE y defiende a Botero mientras acusa a Medina (pág. 7).

2.2.18. Declaración de JOSE EDUARDO MESTRE SARMIENTO. 19 de septiembre de 1995

Niega la reunión que dice Medina que tuvo él (Mestre) con Giraldo y Samper en Madrid (pág. 3) y la existencia del supuesto "Pacto de Recoletos". Demuestra las contradicciones en que incurre Medina en sus declaraciones (pág. 4). Niega también cualquier relación de amistad entre

Pruebas dentro del proceso

Samper y los Rodríguez Orejuela (pág. 5) y afirma que no viajó con Medina a Cali, según la versión de éste, de la que resalta diversas contradicciones (págs. 6 y 7).

Sostiene que Samper jamás compraría la adhesión de un candidato a su campaña y ofrece argumentos para sustentar esta afirmación (pág. 8) y asegura que el Candidato Samper fue estricto en advertir a sus colaboradores sobre la prohibición terminante de recibir dineros del narcotráfico (pág. 9, último párrafo).

2.2.19. Declaración de MIGUEL ÁNGEL RODRÍGUEZ OREJUELA. 20 de septiembre de 1995

– No conoce a Samper (págs. 1 y 2); conoció a Medina a raíz de la propuesta realizada por Giraldo y no aceptada de contribuir a la financiación de las Campañas electorales (pág. 2).

– Nunca envió a Giraldo ni a Mestre a España a convenir el llamado por Medina "Pacto de Recoletos" (pág. 3).

– No se reunió con Medina en Cali (pág. 4).

– No entregó dineros a Maza Márquez ni a Mestre (pág. 5).

– Medina metió a la Campaña un cheque personal de Rodríguez que éste le entregó para pagarle unos cuadros (pág. 6).

– No hicieron los hermanos Rodríguez donación a la Campaña (pág. 7).

2.2.20. Declaración de GILBERTO RODRÍGUEZ OREJUELA. 21 de septiembre de 1995

– No conoce a Samper (pág. 1).

– No entregó a Giraldo, ni a nadie, dinero para la Campaña (págs. 2, 4 y 5).

– Dirigió con su hermano una carta a Samper ya Presidente para pedir garantías en una posible entrega (pág. 4).

– Medina metió a la Campaña un cheque de los Rodríguez que fue girado a su anticuario para pagarle unos cuadros (pág. 5).

2.2.21. Declaración de JOSÉ SANTACRUZ LONDOÑO. 22 de septiembre de 1995

– No conoce a Samper (pág. 1).

– No dio dineros a la Campaña, tampoco los Rodríguez (págs. 2 y 3).

– Maza es un hombre honorable; no es posible que haya recibido dineros para adherir a la Campaña de Samper (pág. 3).

– El famoso cheque de Rodríguez por 40 millones fue únicamente para pagar unos cuadros a Medina (pág. 4).

2.2.22. Declaración de MIGUEL ALFONSO DE LA ESPRIELLA BURGOS. 3 de octubre de 1995

– No conoció de apoyo de carteles a la Campaña (pág. 2).

– Está seguro de la honorabilidad de Samper (págs. 3 y 4).

– No es cierto que hubiera recibido 150 millones en efectivo para la tesorería de Córdoba. Sólo recibió 90 millones; el recibo por 150 que presentó Medina fue falsificado.

2.2.23. Declaración de MAURICIO MONTEJO SALGAR. 11 de octubre de 1995

Medina y Avella le propusieron el pago en efectivo a través de Alberto Giraldo (págs. 4 y 5).

2.2.24. Declaración de BERNARDO HOYOS MONTOYA ante la Comisión. 18 de octubre de 1995

– Respaldó a Samper en Barranquilla (pág. 1).

– Sobre su entrevista con los Rodríguez afirmó que "concretamente dijeron que Santiago Medina recibía los cheques y Botero contaba el dinero, de Giraldo concretamente no dijeron nada" (págs. 1 y 2).

– Los Rodríguez no han conversado con Samper (pág. 2); no hicieron donaciones al Presidente pero sí para su Campaña (pág. 3).

2.2.25. Declaración de JOSE ROBERTO PRIETO URIBE. 19 de octubre de 1995

– Medina le pagó cuentas de publicidad con cheques de terceros y de gerencia. Entre ellos uno cuya giradora era María del Pilar de Gnecco (pág. 30).

– Samper nunca intervino en sus pagos, ni siquiera participaba en los comités de Imagen y Publicidad (pág. 5).

HASTA AQUÍ las pruebas recaudadas en la etapa de investigación previa. Reabierta la investigación se decretaron y recepcionaron varias pruebas más, en el seno de la Comisión de Investigación y acusación de la Honorable Cámara de Representantes o en el Consejo Nacional Electoral que adelanta proceso administrativo por los presuntos excesos en los topes financieros de la Campaña Samper Presidente y de donde se trasladaron al expediente que cursa en la Honorable Comisión de Acusación. De éstas algunas se refieren al manejo de dineros en la Campaña y otras a las supuestas actividades de encubrimiento en las que, según Botero, el Presidente habría participado. La organización de este memorial con prescindencia de su orden cronológico exige que me refiera en primer término a las que versaron sobre el manejo financiero y luego a las restantes.

Estas pruebas, su contenido y conducencia son los siguientes:

2.2.26. JUAN MANUEL AVELLA. Exposición libre y espontánea ante el Consejo Nacional Electoral. 22 de febrero de 1996

La diligencia se centró en preguntas relacionadas con las funciones desempeñadas por éste en el manejo de la parte administrativa de la Asociación Colombia Moderna.

2.2.27. ALFONSO ESCOBAR BARRERA. Exposición libre y espontánea ante el Consejo Nacional Electoral. 4 de marzo de 1996

Explicó sus funciones en la Campaña como Revisor Fiscal de la Asociación Colombia Moderna y específicamente lo relacionado con las cuentas presentadas al Consejo. Absolutamente ninguna imputación hizo al actual Presidente de la República.

2.2.28. Declaración de JAVIER ALFREDO ORTIZ ÁNGEL ante el Consejo Nacional Electoral. 11 de abril de 1996

Desempeñó en la Campaña tareas administrativas en la sede principal y demás sedes de la Campaña. Posteriormente colaboró en la tesorería en el recaudo de dineros. Se dio cuenta de que se manejó bastante dinero en efectivo, pero no sabe si entró o no a la contabilidad. Da como cifra aproximada de gastos en publicidad la suma de 8.000 millones de pesos, sin explicar la razón de su afirmación.

2.2.29. Declaración de PEDRO GÓMEZ BARRERO ante el Consejo Nacional Electoral. 11 de abril de 1996

– No trabajó en la Campaña como quiera que para la época él oficiaba como Secretario General del Partido Liberal.

– No tuvo ingerencia en el manejo de dineros en la campaña ni conoció su situación financiera.

– En el llamado Comité de Agenda jamás se trataron asuntos financieros. El tema de los límites a gastos fijado por el Consejo Electoral no fue objeto de discusión en dicho Comité.

2.2.30. Declaración de ALBA PATRICIA PINEDA DE CASTRO ante la Comisión de Investigación y Acusación. 28 de febrero de 1995

Se desempeñó durante la Campaña Samper Presidente como Coordinadora de Tesorería, bajo las órdenes de Santiago Medina. El candidato no participó hasta donde le consta en la asignación de recursos a las tesorerías regionales o los movimientos políticos. Santiago Medina llevó dinero en efectivo a la Campaña y dijo que era el producto de una donación de la multinacional B. P., pero que esta empresa, por ser multinacional, no podía declararlo. Ese dinero lo llevó Medina empacado en sobres de manila. Algunos sobres los entregó ella a tesoreros regionales por expresa petición de Medina, sin tener ella injerencia en la definición de a quién o cuánto se asignaba en cada caso. Otros los entregó el conductor de Medina en el garaje del edificio. El entonces candidato no presenció la entrega de esos dineros.

Debe resaltarse la absoluta coincidencia de este testimonio rendido por la Sra. Pineda de Castro en esta oportunidad con el que ella rindió varios meses más tarde, ante la Comisión de Investigación y Acusación de la Honorable Cámara. Coincidencia que le otorga gran valor probatorio a todo lo expresado en una y otra oportunidades.

2.2.31. Declaración de LUZ MYRIAM QUINTERO AMAYA. 29 de febrero de 1996

Se desempeñó en la Campaña como delegada de la firma IBERAUDIT, para el manejo de la contabilidad de la Asociación Colombia Moderna. No conoció directamente a los donantes. Ella recibía los comprobantes de ingresos y certificados de donaciones. Con ellos realizaba su labor contable. El candidato nunca intervino en la contabilidad ni dio instrucciones sobre cómo llevarla o cómo rendir los informes.

2.2.32. Declaración de WILBER SALVADOR ESPITIA PEÑA. 29 de febrero de 1996

Como la Señora Quintero Amaya, estuvo vinculado a la campaña del Doctor SAMPER, delegado por la firma IBERAUDIT, como Auxiliar Contable en la Asociación Colombia Moderna. Nunca supo si entraron donaciones del llamado cartel de Cali.

2.2.33. Declaración de SANDRA PATRICIA ALMONACID RODRÍGUEZ. 5 de marzo de 1996

Prestó sus servicios a la Campaña como Subdirectora Administrativa. Nunca tuvo el entonces candidato Samper, que ella supiera, injerencia sobre la parte de tesorería y mucho menos en lo relacionado con las donaciones.

2.2.34. Declaración de JAVIER ALFREDO ORTIZ A. 5 de marzo de 1996

Desempeñó en la Campaña Samper Presidente el oficio de Auxiliar Administrativo. Colaboró inicialmente en el área administrativa y luego en el área de tesorería. Por petición de Santiago Medina una vez contó gruesa suma de dinero en efectivo que el mismo Medina había llevado a la Sede. Algunas personas indagaron sobre la procedencia del dinero en efectivo: se les respondió que eran aportes de empresas petroleras. La distribución del mismo dinero fue manejada por Medina.

2.2.35. Testimonio de JUAN DANIEL MONROY MONROY. 12 de marzo de 1996

Estuvo vinculado a la campaña como Asistente Administrativo. Nunca vio al candidato ordenar un gasto ni supo que alguna vez lo hubiera hecho.

2.2.36. Declaración de MARINES LONDOÑO DE DÁVILA. 12 de marzo de 1996

Fue Secretaria Privada del Director General de la Campaña, doctor Botero Zea. No tuvo conocimiento del ingreso de donaciones del cartel de Cali a la Campaña.

2.2.37. Declaración de LUZ ESPERANZA FORERO DE SILVA. 16 de abril de 1996

Trabajó como Tesorera del Frente Unido por Boyacá en la Campaña Samper Presidente. Quien definió las sumas de dinero que recibiría su departamento de la Tesorería de la Campaña fue el Dr. Fernando Botero Zea. Definida la cantidad se entendió siempre con el señor Medina para recibir el dinero. En los días finales le fue necesario solicitar más recursos. Lo hizo ante Medina quien, previo consentimiento de Botero, le asignó una partida adicional. El doctor Samper jamás intervino en los asuntos de la financiación de la Campaña en Boyacá. María Izquierdo reclamó a Medina el primer contado del aporte, sin tener delegación de ella como Tesorera y sin necesidad porque ella (Luz Esperanza Forero) estaba presta a recibirlo en cuanto se le comunicara la disponibilidad.

2.2.38. Testimonio de GABRIEL MAURICIO CABRERA. Abril 17 de 1996

Colaboró con el Dr. Jorge Herrera en la tesorería regional del Valle del Cauca, en especial en la consecución de recursos económicos para la Campaña en ese departamento. En ningún momento el Doctor Samper intervino para conseguir dichos fondos. Negó que en su tesorería hubiera recibido para la segunda vuelta la cantidad total que Santiago Medina anotó en sus relaciones, 95 millones de pesos y fracción fueron agregados a la suma realmente entregada, aprovechando que una cantidad igual sí se les había remitido antes. El supuesto documento de recibo de ese dinero aparece sin firma suya o del Dr. Herrera por la sencilla razón de que nunca les fue entregado.

2.2.39. Declaración de VÍCTOR MOSCOTE. 17 de abril de 1996

Se desempeñó como Tesorero de la Campaña Presidencial para La Guajira. Jamás recibió instrucciones del Candidato en materias relacionadas con sus funciones en el manejo de recursos. Su relación fue principalmente con Medina y Avella, esporádicamente con Botero. En la lista de giros a su Departamento entregada por Medina aparecen 50 millones más de los realmente recibidos. El documento que aparece como comprobante de dicha entrega no tiene firma alguna.

2.2.39. Declaración de ANTONIO UCRÓS. Abril 24 de 1996

Representante legal de Sanfor S.A. Su empresa y algunas vinculadas con ella hicieron donaciones a la Asociación Colombia Moderna en los finales de 1993 y comienzos de 1994. Por lo apresurado de la citación y por ignorar el tema sobre el que se le llamaba a declarar no tuvo oportunidad de examinar los comprobantes de egreso para precisar las cuantías. No hizo donaciones en especie ni las llamadas operaciones triangulares. Fue enfático en que las donaciones no se sujetaron a contraprestación de ninguna clase, sino que se hicieron con el único propósito de apoyar el libre juego democrático.

2.2.40. Declaración de AUGUSTO LÓPEZ VALENCIA. Abril 24 de 1996

Representante legal de Bavaria S.A. Su empresa y otras de las llamadas del Grupo Santo Domingo hicieron donaciones a la Campaña Samper Presidente por cuantía aproximada de 1.000 millones de pesos. El 31 de mayo de 1994 se reunió en su apartamento a la hora del almuerzo con el candidato Samper y los doctores Fernando Botero Zea y Rodrigo Pardo. Por el grupo lo acompañaban los doctores Carlos Quintero, vicepresidente de Bavaria S.A., y Ricardo Alarcón, Presidente de Caracol S.A.

En dicha oportunidad se trató el tema de la necesidad de recursos que tenía la Campaña para atender la segunda vuelta. En su condición de Presidente de Bavaria S.A. manifestó que el Grupo Santo Domingo no podría hacer nuevos aportes por la elevada cuantía de los ya efectuados para las distintas elecciones sucedidas en ese año de 1994, pero ofreció intervenir ante algunas empresas con las que el Grupo mantenía estrechas relaciones comerciales para encarecerles apoyo al Dr. Samper. Al terminar la reunión le indicó al Dr. Botero que en adelante se entendiera con el Dr. Carlos Quintero para explorar juntos las posibilidades de ayuda de las empresas con las que el Grupo establecería contacto y acordar cuantías y desembolsos. Con posterioridad se enteró de que una sociedad panameña, la Overseas Trading Co., hizo alguna donación a la Campaña.

El deponente fue claro en afirmar que las donaciones se hicieron en cheques debidamente contabilizados en las empresas donantes, que nunca se hicieron aportes en especie ni operaciones triangulares y que en la reunión descrita no se mencionó el tema de los llamados topes a los gastos electorales ni se habló de la necesidad de efectuar operaciones en dólares para que no ingresaran a la contabilidad de la Asociación Colombia Moderna. Declaró, igualmente, que el Grupo Santo Domingo, en su deseo de apoyar la democracia del país en el que realiza sus actividades comerciales, tradicionalmente colabora con distintas campañas electorales sin exigir ni esperar reciprocidades sino por la convicción de que el sistema democrático requiere el apoyo económico de las empresas de limpia trayectoria.

2.2.41. Declaración de LUIS CARLOS SARMIENTO ANGULO. 24 de Abril de 1996

Presidente de la Organización que lleva su nombre y cabeza de un importante grupo financiero y empresarial. Manifestó que acordó con el Candidato Samper la ayuda global que daría para su Campaña y los detalles específicos fueron tratados con el Dr. Fernando Botero por un funcionario de su organización delegado para tal efecto. La suma global de sus aportes fue de 1.200 millones de pesos.

2.2.42. Indagatoria de MARÍA FLORÁNGELA IZQUIERDO DE RODRÍGUEZ ante la Sala Penal de la Corte Suprema de Justicia. 12 y 17 de enero, y 9 y 12 de febrero de 1996

Esta declaración fue solicitada como prueba trasladada a la Corte Suprema de Justicia y recibida de ésta el 27 de febrero de 1996. En varias y, al parecer, extenuantes sesiones, la indagada se refiere a múltiples cuestiones de manera repetitiva, confusa y a veces contradictoria. A lo largo de todas las diligencias insiste con vehemencia y en distintos tonos que dirá la verdad sobre la financiación de las campañas políticas para que se le concedan los beneficios por colaboración eficaz con la justicia.

En lo que tiene que ver con el objeto de esta investigación, la declarante asegura que en conversación con el Candidato Ernesto Samper, éste, ante la desesperación manifestada por la Señora Izquierdo por la escasez de recursos para las elecciones en su departamento de Boyacá, le respondió que acudiera al Sr. Santiago Medina, Tesorero de la Campaña, quien la citó para altas horas de la noche el día sábado siguiente (era miércoles o jueves) en su casa de habitación, en donde le entregó 30 millones de pesos en efectivo que fueron extraídos de cajas de cartón envueltas en papel de regalo y que ella ayudó a contar. Según la indagada en esa oportunidad vio en la casa de Medina al Sr. Alberto Giraldo.

Asegura también la Sra. Izquierdo que en varias oportunidades acudió a la residencia de Medina durante la campaña y que en tiempos más recientes, cuando ya éste se hallaba en reclusión domiciliaria, lo visitó para conocer la información que él hubiera dado a la Fiscalía y los comprobantes del dinero que ella recibió de la tesorería. Dice, además, que "llevo visitando asiduamente para darle ánimo y para que me diera ánimo a mí al Dr. Fernando Botero Zea", en su lugar de reclusión.

2.2.42. Indagatoria de MANUEL FRANCISCO BECERRA BARNEY ante la Fiscalía. 31 de enero, y 1 y 2 de febrero de 1996

Trasladadas por petición de la Comisión de Investigación y Acusación de la H. Cámara, la indagatoria tomada al Dr. Manuel F. Becerra Barney contiene las siguientes afirmaciones atinentes a la investigación al Sr. Presidente:

– Visitó al Candidato Samper para discutir con él aspectos relacionados con el control fiscal al Estado y la reorganización de la Fiscalía General de la Nación;

– En la visita también hicieron referencia a situaciones de la política electoral. El Dr. Becerra se ofreció a conversar, en privado, con algunos congresistas para encarecerles su apoyo entusiasta al Candidato Liberal;

– No trató con el Dr. Samper asuntos relacionados con la financiación de la campaña ni sus gastos;

– Por petición de algunos congresistas de Nariño y Cauca intervino ante el Sr. Santiago Medina para que la Tesorería de la Campaña incrementara los recursos destinados a esos departamentos;

– No conversó con Medina cuestión alguna que se refiriera a recursos provenientes de personas del llamado Cartel de Cali;

– Medina miente cuando dice que le autorizó (a Becerra) para reclamar 300 millones de pesos a las gentes del Cartel;

– Medina miente cuando dice que un papel escrito por el Dr. Samper en el que aparecen solamente los nombres de algunos departamentos, contuviera instrucciones para reparto de dineros de la campaña;

– No recibió dineros de los carteles para financiación de actividades políticos.

2.2.43. Declaraciones de HUMBERTO NEMOJÓN PINZÓN y RUBÉN DARÍO PULGARÍN

Agrupo en un solo punto estas dos declaraciones por la total coincidencia en los hechos principales que relatan los testigos y por la circunstancia de haber compartido ellos tareas de igual naturaleza al servicio del Sr. Santiago Medina, como que fueron ambos sus conductores para la época de los hechos que se investigan.

Rindieron declaración los días 18 y 19 de abril de 1996 ante la Comisión de Investigación y Acusación.

Los principales puntos de sus declaraciones son los siguientes:

– Nada les consta en relación con conductas del Candidato Ernesto Samper. Su actividad en la época estuvo circunscrita al trabajo como conductores de Santiago Medina.

– A la casa de Medina llegaron en dos oportunidades cajas de cartón que, por lo que pudieron apreciar, estaban llenas de billetes de $10.000 divididos en paquetes con fajas del Banco de Colombia. En cada oportunidad llegaron 6 o 7 cajas.

– Según Nemojón, Medina viajó tres veces seguidas, día por medio, a la ciudad de Cali, en viajes al parecer relacionados con el dinero que llegó en las cajas porque al día siguiente del viaje éstas llegaron a la casa de Medina en Bogotá. En una de ellas él lo acompañó pero no pudo enterarse porque al llegar a Cali lo dejó en una cafetería y siguió solo el resto del día. Lo volvió a encontrar para el regreso.

– Cada vez que Medina viajó a Cali, dijo Mogollón, al regresar hizo una sola llamada telefónica desde el automóvil. Llamó a Fernando Botero. Se limitó a decirle que toda había salido bien y que le contaría los detalles en el apartamento.

– Colaboraron con Medina en el conteo y distribución por paquetes de parte del dinero que traían las cajas. Nemojón llevó algunos de los paquetes al edificio en donde funcionaba la sede de la Campaña. Por instrucciones de Medina esperó en el sótano del edificio a donde llegaban algunas personas con orden escrita de Medina para que les entregara uno de los paquetes.

– Pasadas las elecciones llevaron varias cajas con dinero, de las mismas que había recibido Medina antes de las elecciones, a unas casas de cambio.

– Medina con frecuencia enviaba correspondencia y otros paquetes a las oficinas de representación del Credit Suisse Bank en Bogotá.

– Medina visitaba con mucha frecuencia a Botero después de las elecciones. Por lo general cada dos o tres días. Una semana lo visitó todos los días. La mayoría de las visitas eran en el apartamento de Botero, ya entrada la noche.

– Medina era muy amigo de la Señora Elizabeth Montoya de Sarria, cuya finca visitaba con frecuencia. En una ocasión, más o menos un año antes de la campaña, le regaló la Señora Montoya a Medina 2 finos caballos de paso.

–Medina conocía de tiempo atrás a algunas personas que después identificaron los conductores como vinculados con los carteles y hacía negocios con ellos en su almacén, entre ellos el Sr. Víctor Patiño.

– Medina enviaba a Botero, con frecuencia, cajas llenas de pescados y mariscos que a su vez Medina recibía en su casa, pero ellos no conocieron el origen.

– Medina enviaba al conductor Pulgarín con mucha frecuencia a recoger a María Izquierdo para llevarla a visitar a Medina en forma disimulada. No la recogía en la residencia de ella sino en tres lugares distintos que habían acordado y ella avisaba previamente en cuál de ellos en cada oportunidad. Una vez la recogió en la escuela de caballería.

– Pasada la campaña Medina adquirió tres lotes en el Condominio Campestre El Peñón en Girardot. Dos en la zona de residencias y uno en la zona comercial. Los primeros costaron cuatrocientos millones. El último no lo saben. También construyó una elegante casa en Girardot que, una vez terminada, puso en venta por 1.400 millones de pesos. Además compró un lujoso automóvil deportivo marca Mercedes Benz.

2.3. Conclusiones primeras

LA EXHAUSTIVA relación de pruebas hecha en las páginas anteriores y la breve descripción de su contenido, sin haber realizado, huelga decirlo, el análisis de las declaraciones de Santiago Medina y Fernando Botero, permiten concluir varios puntos fundamentales:

2.3.1. Que en la multitud de declaraciones recaudadas, tanto por la Fiscalía General de la Nación, como por el Consejo Electoral, por la Corte Suprema de Justicia y por la Comisión de Investigación y Acusación de la Cámara de Representantes, relacionadas en los acápites anteriores, no existe imputación alguna contra Ernesto Samper Pizano.

2.3.2. Que el Candidato Dr. Ernesto Samper Pizano, hoy Presidente de la República, no se ocupó durante la Campaña de los temas relacionados con la recolección de fondos ni su disposición. Estas fueron tareas que asumió con plenas facultades y total independencia el señor Fernando Botero Zea quien, a su vez, llamó a colaborarle como Tesorero General al Sr. Santiago Medina. Al preguntárseles por Samper, los declarantes coinciden en la no participación suya en el manejo de recursos y, en cambio, todos los medios probatorios apuntan al manejo directo y personal de los recursos de la Campaña presidencial por parte de Santiago Medina Serna y Fernando Botero Zea.

2.3.3. Que en las directrices que trazó el Candidato Samper para la Campaña fue enfático en exigir que toda recepción de dineros se sujetara a la seguridad de que el aportante fuera persona de limpia trayectoria y clara actividad. En eso fue siempre insistente, sin dar pie jamás a una interpretación en contrario. Siempre pidió que todos fueran vigilantes celosos para evitar la infiltración de dineros oscuros.

2.3.4. Que si pese a esta prohibición, algunas personas pudieran aparecer como interesadas en que dinero de origen desconocido hubiera circulado por la Campaña, esto habría sido contrariando las expresas órdenes del Candidato y, naturalmente, con el consiguiente esfuerzo para impedir que éste pudiera percatarse.

2.3.5. Que la única alusión a una posible injerencia del Candidato en el manejo de dineros corresponde a la Señora María Florángela Izquierdo de Rodríguez, quien limita su dicho a que el Doctor Samper, por la insistencia de ella en la necesidad de recursos para su Departamento de Boyacá, le recomendó que hablara con el Tesorero Medina y le ofreció intervenir para que fuera atendida. Intervención que ella no dice si se hizo ni, en caso afirmativo, en qué consistió.

2.3.6. Que el control de todos los aspectos no sólo financieros sino administrativos de la Campaña fue ejercido de manera real por el Director General, Fernando Botero Zea.

2.4. Las respuestas dadas por el Dr. Ernesto Samper Pizano a la Comisión de Investigación y Acusación y al Consejo Nacional Electoral

El Sr. Presidente Samper rindió declaración libre y espontánea ante la Comisión de Investigación y Acusación en la etapa de investigación previa. Rindió indagatoria, en dos oportunidades, ante la misma Comisión en esta nueva etapa de la investigación y respondió, además, a cuestionario escrito solicitado por el Consejo Nacional Electoral dentro de la investigación que adelanta por la financiación de la campaña SAMPER PRESIDENTE.

Debido a lo extenso de todas estas declaraciones y la manera amplia como han sido divulgadas por diferentes medios de comunicación y, en atención, por supuesto, a que obran en el expediente, no parecería necesario hacer recuento de su contenido. Creo que es suficiente señalar cómo el Dr. Samper fue absolutamente coherente en todas y cada una de sus respuestas y, en muchas oportunidades, adjuntó pruebas documentales para respaldar sus afirmaciones.

Es importante señalar que cada una de estas diligencias de indagatoria o de versión libre fue examinada con el mayor detalle por los detractores del Primer Mandatario, sin que ninguno de ellos pudiera encontrar una contradicción o una inconsistencia. Ello sólo indica el alto grado de confiabilidad que pueden tener los H.H. Representantes, como Fiscales, al analizar la conducta del Presidente.

El Dr. Samper dejó claro, como lo ha hecho también en múltiples intervenciones públicas, que su campaña a la Presidencia de la República fue organizada dentro de un esquema que se consideraba "moderno", en el cual las actividades del candidato se dirigían en forma casi exclusiva al proselitismo y difusión de sus ideas y programas de gobierno, mientras se mantenía en un todo ajeno a lo puramente administrativo y financiero de la empresa que manejaría al personal, celebraría los contratos, adjudicaría la publicidad, distribuiría los recursos y, por supuesto, captaría los fondos.

Gracias a esta organización y, en especial, por la confianza que depositó en el Director General de la Campaña, Dr. Fernando Botero, el tiempo del Candidato se aprovechó hasta el último minuto en las labores proselitistas, siendo muy intensa su actividad en la segunda vuelta dado que los resultados de la primera habían arrojado una diferencia a su favor de muy pocos votos.

Aparte de hacer contacto con algunos de los principales dirigentes empresariales para invitarlos a colaborar con recursos económicos para la Campaña y asistir a eventos organizados, por el Director General o por el Tesorero, para recaudar fondos, no tuvo ninguna otra participación en captación de recursos. En cuanto a la parte de manejo de recursos, no intervino.

Como preocupación especial para sus colaboradores de campaña, señaló desde el comienzo la necesidad de vigilar con celo la procedencia de los recursos para evitar que dineros de origen dudoso pudieran filtrarse. Expidió un Código de Ética que prohibía de manera terminante aceptar cualquier aporte que pudiera ser de origen sospechoso o simplemente desconocido y nombró un Fiscal Ético, el Dr. Jorge Valencia Jaramillo, cuya misión era la de vigilar el cumplimiento del Código de Ética.

2.5. Del informe contable que con el impropio nombre de dictamen pericial sobre las cuentas de la campaña obra en la denuncia (anexo 9)

Así como lo hasta aquí analizado de la denuncia del Fiscal y sus anexos y las pruebas recolectadas por los Señores Representantes Investigadores de manera directa o recibidas por traslado de otras autoridades, permite obtener unas primeras conclusiones, también obliga a hacerse unas preguntas:

* Los recursos de dudosa procedencia, que Medina y Botero dicen que entraron a la Campaña, ¿ingresaron a ésta o la Campaña fue utilizada para lavarlos?

* Si tales recursos, inmensos recursos al decir de Medina y Botero, que una parte de la opinión cree que sí entraron a la Campaña, en realidad no entraron, ¿en dónde están? ¿Quién los usufructuó?

El anexo No. 9, que ahora analizaremos, constituye, junto con las declaraciones de Botero y Medina, la piedra angular de la denuncia. Se trata de un informe contable sobre las cuentas de la campaña que concluye con la categórica afirmación de que miles de millones de pesos se gastaron en la campaña sin que correspondieran a ingresos conocidos, lo que permitiría deducir de manera ineludible que cuantiosas sumas de dinero de origen oscuro habrían entrado a la campaña.

En efecto, en este anexo los peritos, profesionales sin identidad grado II, deducen de su examen de cuentas que "la ASOCIACIÓN COLOMBIA MODERNA generó gastos superiores a sus ingresos en $3.187.845.339 por la utilización de dineros de origen desconocido", origen desconocido que en la denuncia del Fiscal General de la Nación contra el Sr. Presidente se convierte en origen ilícito (pág. 38 de la denuncia), que no son términos equivalentes.

De este mismo anexo se deduce para el denunciante que hubo exceso en el tope autorizado para gastos electorales. A los dos puntos —exceso de gastos sobre ingresos y violación de los topes— he de referirme en este alegato. Pero lo haré en dos capítulos diferentes, como quiera que su significado jurídico y político es bien distinto, puesto que una cosa es que un candidato llegare a gastar más de lo que teóricamente le autoriza la ley, siempre con dineros de origen lícito, y otra que gastara aún menos de lo que ese hipotético límite le señala, pero con recursos de ilícita procedencia.

El presente aparte lo dedicaré, exclusivamente, a analizar la calidad del expertico y el valor técnico de sus conclusiones para demostrar que no es cierto que los gastos de la campaña hubieran sido superiores a los ingresos que ésta recibió de clara y limpia procedencia. No me detendré a distinguir entre la etapa de la consulta liberal o precampaña y los de la candidatura propiamente dicha, cuestión esencial para el examen de los llamados topes en la legislación electoral. Los colombianos tienen el derecho a la seguridad total de que su Presidente no financió con dineros oscuros tramo alguno de su actividad política, ora como precandidato o ya investido de la candidatura oficial de su partido. Por eso, si bien al examinar la realidad de la supuesta violación de los topes es imprescindible distinguir entre una y otra etapa, tal distinción no debe importarnos al momento de establecer el origen de los recursos. Porque lo que al país le importa conocer, lo que espera saber, es que Ernesto Samper sólo acudió y autorizó acudir para los inevitables gastos de su proselitismo político a fuentes trasparentes, que querían contribuir al triunfo de un programa de gobierno, cuyo principal objetivo era y es la redención social de nuestros compatriotas más pobres.

Pero antes de entrar en materia, de fuerza es resaltar la perplejidad que produce el que el Fiscal General de la Nación hubiera considerado necesario recurrir a funcionarios que ocultan su identidad. Esta posibilidad, contemplada en el artículo 158 del C.P.P., sólo es dada "... cuando existan graves peligros para su integridad personal (del funcionario)". ¿Será acaso que el Señor Fiscal considera que un experto que rinde su concepto técnico sobre las cuentas de una campaña presidencial en Colombia, pone en grave peligro su integridad personal? ¿Tiene el Fiscal General de la Nación indicio alguno para creer que hemos llegado al terrible extremo de someter a un grave riesgo a sus funcionarios que se pronuncien sobre los hechos de las actividades electorales o del gobierno? De ser así habríamos caído en la más difícil de todas las pesadillas. Pero de no serlo, deberíamos llenarnos de tribulación y tristeza porque algo falla en uno de los más sensibles lugares del Estado. Recordemos que sólo el Fiscal General de la Nación puede decidir, de manera discrecional, si uno de sus funcionarios actúa o no bajo reserva de identidad.

En puro derecho podría simplemente desechar en su integridad el experticio que forma el anexo 9, con base en la misma norma de la ley 273 de 1996 que prohíbe acudir al procedimiento de la reserva de identidad en las actuaciones que se sigan en el Congreso contra los altos funcionarios del Estado. No lo haré, sin embargo, porque como dije al analizar el testimonio que con reserva de identidad agregó el Fiscal como anexo 4 de su denuncia, estoy dispuesto, como lo ha estado siempre el Señor Presidente Samper, a controvertir cuanta prueba exhiba la Fiscalía o cualquier otro organismo con funciones de policía judicial y hasta cualquier persona particular, sin importar que en su recaudo se hubieran violado las normas del debido proceso. Lo que en esta investigación contra el Primer Mandatario de la Nación debe primar es la verdad verdadera —pleonasmo tan de moda en estos días—, por encima de la verdad formal.

Entrando ya en la materia, debo decir, H.H. Representantes, que el así llamado dictamen pericial, elaborado por los profesionales grado II de la Fiscalía que se identifican con los códigos 5599 y 689, adolece de fundamentales vacíos, contradicciones e imprecisiones[1], que explican por qué se llegó a una cifra superior a 3.000 millones de exceso de gastos sobre los ingresos, sin ser cierta tal cifra. Y son tan elementales los errores desde el punto de vista contable, que habría que concluir que o bien los llamados peritos no lo son tanto, o bien tenían como misión encontrar una forma de dar sustento a la afirmación de Santiago Medina de que él recibió de los señores de Cali esa cantidad, misma que distribuyó para las tesorerías regionales. Veamos por qué:

2.5.1. Los profesionales en su dictamen presentan como conclusión que los gastos que realizó la Asociación Colombia Moderna en el período 19 de agosto de 1993 — 4 de abril de 1995, ascendieron a 14.534,5 millones de pesos, mientras los ingresos solamente completaron 11.346,7 millones, lo que arroja una diferencia de 3.187,8 millones de exceso de los gastos sobre los ingresos, diferencia que sólo se explica por la utilización de dineros de origen desconocido. Esta conclusión es la misma que toma el Fiscal para incorporarla al texto de su denuncia como el elemento concluyente, pero varía la calificación del origen para pasar de desconocido a ilícito, términos que, como antes anoté, no son sinónimos ni equivalentes.

2.5.2. Sea lo primero anotar que los llamados peritos utilizan el cuadro 15 del informe (pág. 41) para establecer con él el balance entre ingresos y egresos de la Asociaciòn, cuando tal cuadro contiene en realidad el examen del origen y aplicación de fondos que es bien diferente. En este caso, según ellos mismos lo establecen, dejaron de lado la aplicación de las nociones estrictas de gasto e ingreso, en aras de atender un requerimiento de la ley electoral, cuyo texto es evidentemente antitécnico. Pero como es a partir

---

1. En el capítulo referente a los topes electorales y a la supuesta tergiversación de la contabilidad agregaré algunos comentarios al informe contable. La principal conclusión a la que llegaron algunos contadores titulados y otros expertos en la materia, que han trabajado durante varias semanas sobre los comprobantes y soportes contables de la campaña, se refiere a la falta evidente de rigor técnico por parte de quienes elaboraron dicho expertício. Me remito, por tanto, al capítulo mencionado.

de este cuadro 15 que la denuncia estructura el cargo del ingreso de dineros ilícitos a la campaña, el examen que haremos en los puntos siguientes atiende necesariamente ese mismo cuadro.

2.5.3. De acuerdo con las cifras de este cuadro No. 15 (pág. 41), los egresos en sus principales rubros, para el período señalado arriba, o sea 19 de agosto de 1993 — 4 de abril de 1995, fueron: adquisición de activos, $158,6 MM; giros oficiales a las tesorerías regionales, $2.131,6 MM; gastos de funcionamiento, $4.922,8 MM, cancelación de créditos, $2.371,4 MM; gastos de publicidad y otros no registrados oficialmente, $754,1 MM; pagos hechos por terceros directamente, $965,7 MM, y giros a las tesorerías regionales no contabilizados, $3.230,3 MM, para el total anotado en el punto 2.5.1., o sea $14.534,6 millones.

2.5.4. Los detalles de cifras expresados en los puntos anteriores, tomados estrictamente del cuadro No. 15 (página 41) del informe, permiten detectar las siguientes inconsistencias, cuya corrección se logra con unas simples operaciones matemáticas que explicaremos en cada punto:

2.5.4.(a) Este cuadro No. 15 presenta totalizadas las fuentes de disponibilidad de efectivo (entendido como efectivo no el dinero en billetes sino el recurso monetario disponible) con que contó los recursos la Asociación Colombia Moderna en el período anotado, 19 de agosto de 1993 — 4 de abril de 1995, y las partidas, también totalizadas, del uso que la Asociación dio a dichos dineros. Por eso el cuadro se llama: Origen y aplicación de fondos.

Como este es un cuadro resumen, las cifras que en él se registren deben resultar, como es lógico, de los datos que aparecen en otros cuadros en los que se detallan y se suman o restan, según el caso, los diferentes conceptos divididos por capítulos. Por eso se acostumbra, y así lo hicieron los profesionales, indicar frente a cada partida el cuadro del que proviene. En consecuencia, cada partida transcrita debe corresponder al resultado del cuadro detalle que le dio origen.

Sin embargo, esto no sucede en todos los casos. Al contrario, en veces las partidas transcritas no coinciden con las del cuadro fuente en que, presumiblemente, se relaciona en detalle el concepto que se traslada al cuadro globalizado. Así, por ejemplo, y es éste nuestro primer análisis, en el 5o. renglón de la parte llamada APLICACIÓN, aparece bajo el nombre "Cancelación obligaciones financieras" la cantidad de $1.795.951.200, que según se dice en ese mismo renglón, es tomada del cuadro 12.

Pero, ¿qué sucede? El cuadro 12, página 38, no registra el movimiento de obligaciones financieras sino el de los ingresos por "reposición dineros Consejo Nacional Electoral", cuyo total es, efectivamente, la cifra que aparece en el renglón 5o. de la 2a. parte (aplicación) del cuadro 15, o sea $1.795.951.200. De modo que se transcribió como correspondiente a pagos financieros, que es un gasto, la cifra que correspondía a la reposición del Consejo Electoral, que es un ingreso.

Al analizar el cuadro No. 12, que, repito, contiene el detalle de los desembolsos del Consejo Nacional Electoral por "reposición de gastos", se tiene que una parte, sólo una parte, de esa reposición fue girada directamente por el Consejo Electoral a las entidades financieras prestamistas, y que esta parte fue $1.049.284.000.

De modo que si el renglón 5o. de la 2a. parte de el cuadro 15 (origen y destino de fondos) hubiera transcrito la cifra que en realidad correspondía al pago de obligaciones efectuado con giros directos del Consejo Electoral a las entidades prestamistas, la cantidad allí expresada hubiera sido, como debería haber sido, $1.049.284.000, y no $1.795.951.200.

Así que al transcribir el total de lo recibido del Consejo Electoral como si éste lo hubiese girado directamente a las entidades financieras prestamistas, siendo así que ello no corresponde a la realidad, el cuadro No. 15 registró un error de $756,7 millones que se refleja en un aumento infundado del gasto. Corregirlo se logra con la siguiente operación:

Primera operación matemática: restamos a la cifra de gastos que los expertos de la Fiscalía consideran sin ingresos que los justifiquen ($3.187,5 MM), la diferencia entre lo que giró directamente el Consejo Nacional Electoral para el pago de las deudas contraídas por la Asociación y lo anotado por equivocación en el renglón 5o. (aplicación) del cuadro 15, que como se dijo atrás es de $756,7 MM:

$3.187,5 MM — $756,7 MM = $2.430,8 millones.

La consecuencia de esta operación matemática es que se reduce a 2.430,8 millones de pesos, la partida de dineros supuestamente de origen desconocido.

2.5.4.(b) Los peritos contables contabilizaron dos veces gastos en las tesorerías regionales por $958,2 millones, según se desprende del examen del anexo No. 5 del informe contable, página 98, en conjunción con el cuadro No. 15 de la página 41.

¿Por qué esta doble contabilización? Porque en el cuadro No. 15 (pág. 41) los expertos incluyeron la totalidad de los giros, contabilizados y presuntamente no contabilizados, que la Asociación o el Sr. Medina (según su propio dicho) hicieron a las tesorerías regionales, por un valor de $5.373,3 millones, sin tener en cuenta que algunas tesorerías legalizaron parte de lo recibido, o sea enviaron a la contabilidad central los comprobantes de los gastos efectuados y esos comprobantes fueron contabilizados por la Asociación, de modo que aparecen sumados, como es lógico, al total de gastos que la Asociación presentó en su contabilidad.

Para mejor entendimiento conviene precisar los términos: contablemente se consignan como anticipos los giros de dinero que se hacen para que una persona ejecute un gasto con ese dinero —en este caso las tesorerías regionales—. En la contabilidad dicha partida figura en el activo como un fondo por recuperar, recuperación que se hace cuando llegan los comprobantes del gasto efectuado, o sea cuando se legaliza el gasto. En ese momento la cuantía legalizada se descuenta del activo y se lleva al gasto. Si la totalidad o parte de los anticipos no se legalizan, se lleva al gasto el saldo no legalizado. Pero sólo este saldo, no la totalidad del giro dado que hacerlo equivaldría a una doble contabilización.

Durante la campaña SAMPER PRESIDENTE, las tesorerías regionales, según lo indica el informe contable de la Fiscalía, recibieron giros de la Asociación, "contabilizados" por $2.143 MM (cuadro No. 9, páginas 31 y 32, y cuadro No. 15, pág. 41). De esos legalizaron $958,2 MM (anexo No. 5, página 94). La Asociación contabilizó, naturalmente, los comprobantes de gasto recibidos de la tesorería, o sea que incrementó la partida total de gastos en esa misma cantidad. Los peritos, al momento de elaborar su informe técnico, tomaron la totalidad de las partidas que figuraban en la contabilidad como gastos, en las que ya se habían incluido los gastos legalizados por las tesorerías y, no obstante ello, por separado sumaron el total de giros efectuados a esas mismas tesorerías. Al proceder así contabilizaron dos veces como gasto las sumas legalizadas por las tesorerías, o sea $958,2 MM. La técnica indicaba que se debía deducir de la relación de giros a las tesorerías el total legalizado, lo que no se hizo. Nos corresponde entonces efectuar la corrección pertinente con otra sencilla operación matemática.

Segunda operación matemática: a la cifra que en el punto anterior quedaba como de gastos sin ingresos no identificados, $2.430,8 millones, deducimos las partidas legalizadas por las tesorerías regionales, $958,2 millones, dado que los expertos sumaron por separado el total de giros, sin descontar de ellos las sumas legalizadas, con lo cual tenemos:

$2.430,8 MM — $958,2 MM = $1.472,6 millones

En donde el primer guarismo, $2.430,8 MM, es la cifra de gastos que traíamos del punto anterior como supuestamente sin correspondencia con los ingresos, y el segundo guarismo, $958,2, es la cantidad legalizada por las tesorerías regionales, no descontada de la relación de giros. El resultado, $1.472,6 millones, es el saldo que hasta ahora quedaría como no explicado.

Pruebas dentro del proceso

2.5.4.(c). Según se lee en la página 9 del informe, algunas tesorerías regionales legalizaron una cantidad superior a la recibida, por valor de $71,5 millones. Sin embargo, dicen los profesionales de la Fiscalía, "en el concepto de legalizaciones no se tuvo en cuenta el exceso, considerando que no se puede legalizar más de lo que se recibe sin autorización". Ante eso, concluye el informe: "puede decirse que el exceso por $71.462.722 se generó por el recaudo de dineros de origen no determinado".

Este raciocinio carece de lógica porque, igual que en el punto anterior, la contabilidad de la Asociación de todos modos registró en el capítulo del gasto los comprobantes recibidos de las tesorerías regionales y por tanto, si los expertos, como lo hicieron, sumaron al total de los gastos registrados el total de los giros efectuados a las regiones, contabilizaron dos veces una misma partida: una vez como gasto y otra vez como giro. En consecuencia, debe hacerse la siguiente corrección matemática:

Tercera operación matemática: a la cantidad que traíamos del punto anterior como saldo ajustado de gastos sin el ingreso correspondiente, o sea, $1.472,6 millones, le restamos la cantidad que aparece en la página 8 del informe correspondiente a legalizaciones no tenidas en cuenta, o sea $71,5 millones:

$1.472,6 MM — $71,5 MM = $1.401,1 millones

Siendo la primera cifra, $1.472,6 MM, el saldo que venía del punto anterior; la segunda, $71,5 MM, la correspondiente a las legalizaciones no tenidas en cuenta en el experticio, y el resultado, $1.401,1 millones, el saldo que llevaríamos como correspondiente a los gastos que supuestamente no tuvieron origen conocido.

2.5.4.(d) Los expertos contables dieron el valor de plena prueba a las afirmaciones de Santiago Medina en cuanto a ingresos y gastos no contabilizados oficialmente. Medina entregó unos listados y supuestos comprobantes que él había elaborado y ellos se convirtieron en fundamento no discutido del dictamen pericial, a pesar de que los mismos profesionales sin rostro, grado II, de la Fiscalía declararon, en la página 12 de su informe que "la documentación presentada por el Señor Santiago Medina Serna — Tesorero de la Asociación Colombia Moderna— no está acorde con lo dispuesto en las normas de carácter contable vigente".

Que un experticio legal otorgue el carácter de plena prueba a la afirmación de una parte interesada en el proceso, a pesar de no estar respaldada con documentación "acorde con lo dispuesto en las normas de carácter contable vigente", resulta estrambótico. Pero más aún que se utilice ese supuesto para fundamentar sobre él una denuncia al Primer Magistrado de los colombianos.

Sin embargo, como quiera que Medina presentó recibos de los giros hechos a las Tesorerías Regionales, aceptemóslos como válidos para efectos de este análisis, siempre y cuando estén como mínimo firmados por sus receptores, o sea acompañados de las pruebas de su consignación en las cuentas bancarias indicadas por sus receptores finales. Lo que sí no puede admitirse es que se contabilicen como ciertos aquellos recibos que no contengan firma ni cualquier otra señal de aceptación o de depósito a favor de sus beneficiarios, con mayor razón si en el expediente obraban declaraciones de algunos tesoreros que o bien negaban haber recibido esas cuantías o bien tachaban de falsas las firmas, como en el caso del Dr. Alberto Guillermo Villaveces Medina.

Los supuestos comprobantes de egreso o giro a las tesorerías regionales que no tienen firma, son:

Carlos Vargas	Soacha	$	400.000
Gloria Mena	Chocó		12.000.000
Víctor Moscote*	La Guajira		50.000.000
Jorge Herrera*	Valle		95.294.117
Hernando Martínez	Santander		30.000.000
Héctor Pardo	Unión Cristiana		15.000.000
Otras partidas			25.000.000
TOTAL			$227.694.117

Los peritos, que debían aplicar con especial celo los principios básicos de su ciencia, no podían, si en verdad eran expertos contables, contabilizar soportes que no reunían los elementos mínimos para ser considerados como tales. Si lo hacían, como lo hicieron, se exponían con seguridad a que esa inclusión fuera objetada no sólo por el analista desprevenido sino por las mismas personas supuestamente beneficiarias del giro, como en efecto sucedió. Procede pues la debida corrección con otra simple operación matemática.

Cuarta operación matemática: al saldo que traíamos en el punto anterior de gastos aparentemente sin ingreso conocido, o sea $1.401,1 millones, le sustraemos la cifra correspondiente a los soportes de giro o de entrega de dinero que no tienen firma de sus receptores por no haber recibido ellos la cantidad expresada en tales soportes, o sea $227,7 millones. El resultado

---

* Estos tesoreros declararon bajo la gravedad del juramento que esas cifras correspondían a doble contabilización de un mismo giro.

se constituirá en el nuevo saldo de gastos no soportados en ingresos de origen conocido:

$1.401,1 MM — $227,7 MM = $1.173,4 millones.

Esta sencilla operación matemática nos permite reducir a 1.173,4 millones de pesos la partida de ingresos supuestamente de origen desconocido.

2.5.4.(e). Según se puede apreciar de manera clara tanto en la relación de egresos contenida en el anexo No. 02 del informe contable (págs. 59 y ss.), como en el cuadro No. 16 (pág. 42), los expertos contables encontraron diferencia entre las cifras llevadas a la contabilidad como gasto y el valor de los cheques efectivamente girados para pagar dichos gastos. Sin embargo, no establecieron la razón para dicha diferencia, sino que llevaron a las conclusiones la cifra que aparece como valor bruto del gasto y no del valor neto, sin percatarse de que por ningún otro lado aparece desembolsada la diferencia.

La diferencia entre el valor bruto del gasto y el valor efectivo del desembolso se explica normalmente porque se trata de descuentos que conceden los proveedores por pronto pago u otras circunstancias.

Pero como los expertos de la Fiscalía ni llevaron la diferencia a una cuenta pasiva ni la disminuyeron del gasto, inflaron la cifra del gasto efectivo y con ella la de los ingresos supuestamente recibidos de origen desconocido.

Ya en valores tenemos, por un lado, que, según el listado y suma de los comprobantes de egreso que aparece en el anexo 02 del informe, en las páginas 59 y ss., el total del gasto en valores brutos fue de $9.162,4 millones, pero los desembolsos hechos por la Asociación fueron solamente de $9.062,9 millones, no obstante lo cual se registró el valor bruto en el cuadro No. 16, olvidándose de la diferencia., lo que condujo a aumentar el gasto en $99,5 millones. Necesario es, por tanto, hacer la corrección así:

Quinta operación matemática: al saldo que traíamos en el punto anterior de gastos aparentemente sin ingreso conocido, o sea $1.173,4 millones, le sustraemos la cifra correspondiente a la diferencia entre el gasto bruto y el pago neto como acabamos de explicarlo, o sea $99,5 millones. El resultado será, como en las operaciones anteriores, el nuevo saldo de gastos supuestamente no soportados en ingresos de origen conocido:

$1.173,4 MM — $99,5 MM = $1.073,9 millones.

Quedamos, pues, en que hasta la operación anterior, el saldo ajustado de supuestos egresos sin ingresos que puedan explicarlos sería únicamente de $1.073,9 millones.

2.5.5. Como resultado de lo hasta aquí demostrado en relación con la inconsistencia técnica del dictamen pericial, tenemos que no serían 3.187,8 millones de pesos los que habrían sido gastados por la Asociación sin ingresos justificados, que el Fiscal califica en su denuncia como ilícitos, sino, solamente, $1.073,9 millones. Pero falta más en este análisis, sólo que sus elementos de juicio ya no corresponden al expertico sino a otros documentos del proceso que la Fiscalía conocía y, por tanto, debería haber tenido en cuenta antes de permitirse la afirmación contenida en la página 36 del escrito acusatorio. Del análisis de tales elementos se concluye que no es cierto que en la campaña SAMPER PRESIDENTE se hubieran efectuado gastos con dineros de origen desconocido, como lo dice el informe contable y lo acoge la denuncia.

Los elementos a los que me refiero son tomados de las diligencias investigativas practicadas por la Fiscalía, en las que aparecen con claridad algunos hechos que explican el origen de los recursos que la misma entidad consideró, por el dictamen pericial, que no tenían justificación. En dichas explicaciones podría encontrarse algún tipo de irregularidad, pero jamás receptación de dineros ilícitos. Veámoslo:

2.5.5.(a). El Sr. Fernando Botero declaró y demostró que recibió en el exterior, de empresas sin tacha, donaciones por valor superior a 1,2 millones de dólares. De éstos trajo a Colombia, mediante operaciones de cambio exterior realizadas a través del Banco de Colombia, debidamente comprobadas, un millón de dólares, los que, en cheques de gerencia girados a favor de varios funcionarios de la campaña, entregó a Santiago Medina quien, a su vez, los hizo llegar a algunos tesoreros regionales, sin que previamente se hubieran incluido en la contabilidad de la Asociación Colombia Moderna. Estos ingresos corresponden a donaciones certificadas y de limpia procedencia pero que, por la manera como Botero las recibió y entregó a la tesorería, no aparecen en la relación de ingresos que el informe contable relaciona en su anexo 01, páginas 46 y ss. Por tanto, si corresponden a ingresos de procedencia conocida y legítimos, deben excluirse de la partida que los profesionales sin rostro grado II de la fiscalía califican como de origen desconocido y la Fiscalía en su denuncia cataloga como de origen ilícito. Una sencilla operación matemática nos permitirá efectuar la correspondiente corrección.

Los cheques en mención y sus valores son los siguientes:

Beneficiario	Valor ($ colombianos)
Luis Guillermo Vélez	$ 82.299.465,20

Pruebas dentro del proceso

Mónica Guáqueta	43.312.508,00
Leonardo García	73.636.363,89
Marinés Londoño	77.967.914,40
Leonardo Carvajal	56.310.160,40
Luz Mary Ramírez	47.647.058,80
María Cristina Bohada	86.631.016,07
Juan Manuel Avella	51.978.604,60
Alberto Rueda	64.973.262,00
Andrés Castilla	60.641.711,26
Bárbara Vargas	69.304.812,80
Carlos J. López	95.294.117,00
TOTAL	**$ 809.996.994,42**

Sexta operación matemática: al saldo que tenemos en el punto anterior como de gastos que supuestamente no corresponden a ingresos de procedencia conocida, $1.073,9 millones, le restamos el valor de los cheques relacionados arriba, $810 millones, puesto que su origen es plenamente conocido y limpio, así:

$1.073,9 MM — $ 810 MM = $ 263,9 millones.

El resultado, 263,9 millones de pesos, se convierte en el nuevo saldo de nuestro análisis que correspondería a la partida de gastos que no tendrían ingreso conocido.

2.5.5.(b). El Dr. Alberto Guillermo Villaveces Medina, Tesorero para Santafé de Bogotá durante la campaña, tachó de falsos en declaraciones juramentadas ante la misma Fiscalía General de la Nación, tres (3) de los recibos entregados por Santiago Medina como comprobantes de entregas de dinero para la tesorería de Santafé de Bogotá, y aseguró que jamás recibió las cantidades en ellos expresadas. Pero al momento de evaluar el informe contable como base para la denuncia, no se tuvo el elemental cuidado de eliminar de la relación de giros las cifras tachadas de falsas, como ha debido hacerse, al menos mientras se definía su autenticidad. Con ello se otorgó el carácter de plena prueba a unos documentos tachados de falsos en declaración juramentada de quien se supondría los habría firmado.

Los 3 recibos a los que se refiere la tacha de falsedad suman $116 millones, que deben ser, en consecuencia, eliminados de la relación de egresos. Sin embargo, el Dr. Villaveces declaró, igualmente bajo la gravedad del juramento, que sí se le entregaron $40 millones, de los cuales no aparece recibo alguno. En aras de la verdad, dicha cantidad debe agregarse, por lo cual el neto a restar de la supuesta partida de gastos efectuados sin ingresos explicados será de $76 millones. Otra sencilla operación matemática nos permitirá dar un paso más hacia la cifra verdadera de gastos que supuestamente no tienen ingreso conocido que los justifique.

Séptima operación matemática: al saldo que traemos en el punto anterior, $263,9 millones, le quitamos el valor neto declarado por el Dr. Alberto Guillermo Villaveces Medina como no recibido por él pero consignado en comprobantes falsos como si le hubieran sido entregados, $ 76 millones, así:

$ 263,9 MM — $ 76 millones = $ 187,9 millones.

Este nuevo resultado, 187,9 millones de pesos, se convierte en el saldo que en nuestro análisis correspondería a la partida de gastos que no tendrían ingreso conocido.

2.5.5.(c). El Dr. Miguel de la Espriella, tesorero para el depto de Córdoba durante la campaña, igualmente tachó de falso, en declaración juramentada, el recibo que presentó Medina por $150 millones como correspondiente al dinero entregado en efectivo para su Departamento, mientras aseguró que el valor realmente recibido fue $90 millones. En consecuencia, al menos mientras se establece la veracidad de la afirmación del declarante De la Espriella, no puede aceptarse que la sola mención de Medina, en declaración injurada por ser en indagatoria, se constituya en plena prueba contra la declaración, ésta sí bajo la gravedad del juramento, de quien aparece como receptor de un dinero que dice nunca haberlo recibido. Esa cifra, por tanto, debe descontarse del saldo que llevamos como de supuesto dinero no explicado.

Octava operación matemática: al saldo del punto anterior, $187,9 millones, le restamos la suma que el Tesorero de Córdoba niega haber recibido de manos de Medina o remitida por éste, $90 millones, de modo que:

$ 187,9 MM — $ 90 millones = $ 97,9 millones.

Con esta operación queda claro que, hasta aquí, los dineros que podrían catalogarse como de origen desconocido, serían de sólo $97,9 millones, cantidad bien diferente a la que señala la Fiscalía en su denuncia.

2.5.5.(d). Podría seguir en este análisis, Señores Representantes, por muchas páginas más. Pero me volvería interminable. Podría decir, por ejemplo, que la cifra presentada en la página 6 del informe contable como de ingresos difiere de la que por el mismo concepto aparece en el cuadro

No. 01, página 18, y que dicha diferencia es de $7,3 millones de menos, o sea que hubo $7,3 millones más de ingresos identificados de los que relacionó el informe, lo que significa que al tenerlos en cuenta se reduciría nuevamente la partida de los supuestos ingresos no identificados a sólo 90,6 millones. Y podría señalar también que el Sr. Alberto Giraldo ha declarado que no es cierto que a él se le hubieran pagado $20 millones por unos relojes que vendió a la campaña sino apenas $2,5 millones, con lo cual aparecería nuevamente que Medina falseó los gastos reales y, por este concepto, de rebote llevó a los funcionarios de la Fiscalía a inflar la partida de supuestos ingresos no explicados en 17,5 millones, los que reducidos del saldo que traíamos no deja un saldo de 70 millones. Y así podría seguir con cientos de pequeñas partidas.

Pero, ¿vale la pena? Sería gastar un tiempo precioso sin verdadera necesidad, puesto que ya en este punto cualquiera puede estar seguro de que si el informe contable de los profesionales de la Fiscalía incurrió en errores tan de bulto como los anotados, fácil es concluir que en el análisis partida por partida, se desvirtuaría tambien esa cantidad de 70 millones que se vuelve insignificante cuando el total de los gastos ascendió a varios miles de millones de pesos. En cambio, hacer un rastreo completo de la contabilidad sería abusar de la paciencia de los H.H. Representantes cuando ya el resultado de fondo se ha logrado, puesto que ha quedado demostrado que no es cierto, como se dice en la denuncia, que a la Campaña Samper Presidente hubieran entrado dineros de origen desconocido, sino que el informe contable que con el nombre de dictamen pericial se agregó a la denuncia contra el Sr. Presidente, carece de fundamento técnico, es pobre en los conceptos y precipitado en su elaboración.

CUADRO RESUMEN DE LAS
INCONSISTENCIAS O VACÍOS DEL INFORME CONTABLE
(cuadro 15, pág. 41 del anexo 9 de la denuncia).

Concepto	VALOR $ (en millones)
Mayor valor sobre el gasto real por equivocada transcripción de la partida "Reposición Gastos Consejo Electoral" a la partida "Cancelación Obligaciones Financieras". Diferencia:	756,7

Doble contabilización de gastos legalizados por las Tesorerías Regionales sobre giros "oficialmente contabilizados"	958,2
Doble contabilización de gastos legalizados por las Tesorerías Regionales sobre giros "no contabilizados oficialmente"	71,5
Comprobantes de egreso sin firma del receptor	222,7
Mayor valor del gasto contabilizado por no deducir los descuentos sobre pagos	99,5
Donaciones en el exterior de origen conocido y lícito, no contabilizadas como ingresos	810,0
Comprobantes tachados de falsos por el Dr. Alberto Guillermo Villaveces Medina	116,0
Dinero efectivamente recibido por el Dr. Alberto Guillermo Villaveces Medina, sin comprobante	- 40,0
Comprobantes tachados de falsos por el Dr. Miguel de la Espriella	150,0
Dinero efectivamente recibido por el Dr. Miguel de la Espriella, sin comprobante	- 90,0
TOTAL	**3.054,6**

Como según el dictamen pericial de la Fiscalía, la diferencia entre gastos e ingresos no justificados es de 3.100 millones, hechas las correcciones pertinentes se tendría que en valores la Campaña Samper Presidente no utilizó recursos de origen desconocido, así alguien hubiera usado la Campaña par circular billetes de ese origen, lo que constituye la operación que se conoce como "lavado" de dinero.

Debo decir, en verdad, que me parece muy sospechoso que Medina hubiera dicho que él recibió 3.000 millones de pesos del Cartel de Cali y algunos millones más de otras fuentes igualmente oscuras, y luego aparezca un llamado dictamen pericial que concluye, después de incurrir en múltiples errores, con una cifra igual como de recursos que ingresaron a la campaña de procedencia ilícita. Parecería que el informe hubiera sido elaborado con el propósito no de encontrar la verdad sino de comprobar, a como diera lugar, las afirmaciones de Medina.

Conturba el espíritu que se hubiera utilizado este informe contable, sin someterlo a riguroso análisis, para tejer sobre él, como pieza clave, un proceso contra el Primer Magistrado de la Nación. ¿Por qué pudo suceder ésto? ¿Cómo y por qué el Sr. Fiscal General procedió de esta manera? Me siento inclinado a creer que simplemente no tuvo él la oportunidad de someterlo al riguroso análisis que hubiera sido de desear y que se vio compelido, por confiar en sus colaboradores, a utilizarlo en el pliego de cargos. ¡Cómo es de fácil, H.H. Representantes, que a cualquier nivel se hagan cosas a espaldas, sin el conocimiento y el consentimiento de quien aparecería en primer término como responsable dada su calidad de cabeza visible de la organización!

2.6. De las declaraciones de Fernando Botero Zea y Santiago Medina Serna

He analizado hasta aquí todas las pruebas que obran en el expediente, en relación con la supuesta financiación, con dineros de origen oscuro, de la actividad electoral de Ernesto Samper en su camino a la Presidencia de la República, incluido el informe contable que se constituía en la pieza clave de la denuncia pues era el elemento demostratorio de que a la campaña SAMPER PRESIDENTE sí habrían ingresado esos dineros de procedencia desconocida. De estas varias decenas de pruebas nada queda que pueda inculpar a Ernesto Samper. Al contrario, en todas las declaraciones brilla la conducta irreprochable del Candidato y su constante admonición a todos sus colaboradores para que fueran extremadamente celosos en cuidar la empresa electoral, que era la empresa de cada uno de ellos, para que no fuera ilícitamente utilizada con protervos fines. Sólo habría el testimonio en contra de la exsenadora María Izquierdo de Rodríguez, política de calidades bien conocidas en el país. Testimonio inane: crea una historieta de culpabilidad del Candidato por el solo hecho de que éste le hubiera dicho, como era lo lógico, que en materia de dineros para los comicios en su Departamento, debía acudir al Tesorero de la Campaña. ¿Qué pretendía, entonces, la Sra. Izquierdo que le hubiera dicho? ¿Que recurriera a quién si no al Tesorero? En cambio, lo que esta Señora expresó en esa declaración y lo que ha dicho en algunos medios de información, nos permitirá agregar una pieza más a la compleja red que podría haberse tejido entre ella y los dos testigos cuyas versiones vamos a analizar, Santiago Medina y Fernando Botero, únicas pruebas testimoniales sobre las que se edifica un proceso político, disfrazado de jurídico, contra el Presidente de Colombia, con el que se ha puesto al país en vilo, se ha polarizado a sus habitantes y se ha llenado de tribulación sus espíritus por muy largos meses.

2.6.1. ¿Qué afirman Medina y Botero?

Aunque de difícil comprensión por su extensión y sus continuas contradicciones, incongruencias y mentiras, es necesario y de gran interés para la defensa el estudio y análisis del contenido de sus declaraciones.

Argumento de inicio es, sin duda, la aceptación por parte de la propia Fiscalía de dos hechos de interés: el primero, que dichos declarantes son los únicos que en forma clara hacen sindicación o cargo en contra del actual Presidente de la República; lo segundo, que entre ellos existen grandes contradicciones. ¿Cómo, entonces, compaginar y hacer valer tales dichos?

Aspecto de especial valía es, por supuesto, encontrar la motivación, el móvil, la razón por la cual los declarantes se contradicen en cuanto a su responsabilidad en los hechos, aunque apuntan, de momento, en contra de Samper.

2.6.1.(a) Fernando Botero Zea

En la larga ampliación de indagatoria Fernando Botero, cambia la versión expuesta en sus intervenciones originales en indagatoria, como en su declaración bajo juramento ante la Comisión de Investigación y Acusación. Veamos algunas cuestiones que interesan del contenido de tal versión:

— Inculpa ampliamente a Santiago Medina, de manera abierta y no refutada por éste.

— Trata de inculpar a Ernesto Samper, pero esto último sólo diciendo que sin lugar a dudas para él (Botero), el Candidato sí sabía del supuesto ingreso a la campaña presidencial de 1994 de dineros provenientes del narcotráfico.

— Se declara inocente de cualquier participación en la supuesta operación de consecución y manejo de dineros oscuros. Según él, nada le consta porque nada vio ni escuchó de manera personal y directa en los días en los que esa operación se realizaba.

Esto último obliga a preguntarse: Si Botero afirma que no sabía, ¿cómo sabía que Samper sí sabía? Si una persona desconoce un hecho, ¿cómo puede sostener que ese hecho sucedió y señalar a alguien como su autor?

La respuesta no puede ser otra sino que, o no le consta, lo que llevaría a que no puede declarar sobre tal hecho pues se trataría de una suposición que, como tal, jamás estaría en capacidad de certificar; o es una estrategia intencional de defensa frente a las imputaciones que a él mismo se le hacen.

Cualquiera que sea la respuesta, sus afirmaciones no prueban nada, por la potísima razón de encontrarnos frente a una suposición, una sospecha, una afirmación fantasmagórica, pese a haber sido parte esencial en todas y cada una de las actividades de la campaña, o una estratagema nacida de su interés personal.

Su afirmación además no posee sustento probatorio, es decir, no aporta pruebas distintas a su dicho y referencias a hechos que presuntamente sucedieron durante la campaña, después de que el Dr. Samper resultó electo y luego, cuando ya ejercía la Presidencia de la República.

Pero además, el dicho de Botero no es sino una versión más de las muchas que ha hecho, contraria a cuanto él mismo había afirmado bajo la gravedad del juramento, sin pruebas que sustenten la veracidad de la versión que rindió más ante la opinión pública que ante los Fiscales, en escenario previamente arreglado por asesores extranjeros que no solamente le señalaron qué cuadros, qué fotografías, cuál crucifijo colocar en cada rincón y en cada superficie, sino también hacia dónde dirigir su mirada en cada respuesta, cuándo sonreír, cómo mover la cabeza y, claro, qué decir para lograr el mayor efecto.

2.6.1.(b) Santiago Medina Serna

Sus primeras declaraciones, en versión libre y espontánea, se contradicen de manera evidente con las que luego teje cuando negocia con la Fiscalía General de la Nación el inmenso privilegio de cambiar la celda de la cárcel Modelo por el lujoso palacete en el que habita rodeado de sirvientes y de antigüedades, y hasta salir del país, como él mismo afirma en carta dirigida en tono de larga y profunda amistad al Fiscal General de la Nación que los medios divulgaron con timidez y éste nunca desmintió.

La razón para la inconsistencia en sus declaraciones aparece evidente desde el primer día. Él no tuvo siquiera, como Botero, el cuidado de simular que decía "su" verdad por la verdad y por una supuesta preocupación por el país. No, él dejó ver sin ruborizarse que había un *do ut des*: te doy lo que quieres, mentiras o verdades, historias o fantasías, para que me des lo que quiero: libertad, lujo, seguridad.

Por eso Medina inventa cosas o las oculta o las interpreta maliciosamente como cuando intenta hacer aparecer al Presidente, sin consideración alguna con las personas a las que hace inmenso daño, en entrevista en Quito con una supuesta emisaria de Murcillo, de apellido Arias, siendo así que se trataba de una persona completamente ajena a toda relación con ese u otro presunto narcotraficante; o cuando intenta demostrar que el Dr. Samper sí intervenía en el manejo financiero y económico de la Campaña, porque, en una ocasión, le envió a Medina una nota, escrita de su puño y letra, remisoria de un cheque de $100.000 que un tío del Candidato, Julio Ortega Samper, le regalaba para ayudarle en su labor proselitista, que por tanto no podía "demostrar" injerencia alguna de Ernesto Samper en el manejo financiero de la campaña, sino, al contrario, la pulcritud con la que éste siempre entregaba a la tesorería hasta el más pequeño aporte que alguien, cercano o no a sus afectos, le hacía llegar como apoyo a su aspiración presidencial.

Medina, al menos, no intentó volver a Samper el culpable de todos los males mientras él intentaba sacarle el cuerpo a cualquier responsabilidad. Quizá porque tenía claro que posar de inocente no le duraría mucho tiempo pues tarde o temprano todas las pruebas conducirían a él. Lo más fácil, entonces, era aceptar su participación como ejecutor material mientras traspasaba la autoría intelectual al único que no podía excluir por su dependencia personal y organizacional en la Campaña: Fernando Botero.

¿Botero se limitó a dar instrucciones de manera verbal o lo hizo también por escrito? ¿Es cierto el cuento del "Boterito", que habría servido de elemento concluyente para convencer a los señores Rodríguez de que entregaran dinero a Medina como su representante personal?.

En todo este proceso sólo hay una cosa cierta: que mientras Samper ha mantenido una línea uniforme, absolutamente coincidente en todas y cada una de sus declaraciones, ora ante sus jueces naturales, ora ante otras autoridades públicas, ora ante los medios de comunicación y hasta en las conversaciones privadas con amigos y conocidos, las afirmaciones de Medina y Botero se han ido llenando de contradicciones y de inconsistencias, no sólo entre sí sino que cada uno desmiente al otro en variadas oportunidades y formas.

¿Será difícil deducir quién dice la verdad y quién dice mentira?

2.7. *De la confiabilidad y valor de demostración de los declarantes* **BOTERO Y MEDINA**

Los anexos de la denuncia no poseen valor probatorio contra ERNESTO SAMPER. Ello quedó demostrado. Los medios probatorios decretados y recepcionados por la H. Comisión no poseen valor vinculante contra ERNESTO SAMPER, como lo demostramos. Lo que sí se ha demostrado es que Medina y Botero tenían el manejo financiero de la Campaña y también, como luego quedará en evidencia, una sociedad de hecho. Y casualmente Medina y Botero son los declarantes que de una u otra manera tratan de vincular a ERNESTO SAMPER. No pueden evitar, sin embargo, que todos los caminos conduzcan a ellos, a Medina y Botero.

¿Qué confiabilidad y qué valor probatorio poseen sus declaraciones?

2.7.1. Las contradicciones en las intervenciones de Botero

2.7.1.(a). Botero acusa a Samper de conocer sobre la narcofinanciación de su campaña, que Samper está seriamente comprometido en estos hechos. (págs. 3 y 4, diligencia de ampliación de la indagatoria a solicitud de Botero, del 22 de enero de 1996) y que Samper es el máximo responsable de las finanzas de la campaña. (5 de febrero de 1996, pág. 132, última línea).

Contradicciones:

1a. "No siempre era fácil lograr que el candidato Ernesto Samper le asignara suficiente tiempo en la agenda a los compromisos de carácter financiero" (Diligencia del 30 de enero de 1996 pág. 83 o 3).

2a. "...Este manejo por parte del candidato indica su despreocupación con respecto de los temas financieros, al menos en lo que tiene que ver con los aspectos de la campaña que él no consideraba como fundamentales..." (continuación de la diligencia de ampliación de la indagatoria rendida el 30 de enero de 1.996, P. 84 o 4)

3a. "Los nuevos esquemas gerenciales se basan en la descentralización y la horizontalidad, en las relaciones dentro del cuadro directivo de cualquier entidad. Este fue el esquema que yo quise imprimirle a la campaña. Por esta razón no había órdenes ni estilo draconiano en el manejo de las personas que conformaban la cúpula de la campaña... añado por último que tampoco recibía órdenes de parte del candidato Samper Pizano, sino que normalmente llegábamos a un consenso para decisiones importantes" (Indagatoria del 17 de agosto de 1995 a las 8:50 a.m. pág. 3)

4a. "... La decisión que adoptó la campaña en enero de 1994 fue la de nombrar al Dr. Medina como Tesorero y la de fortalecer el comité Financiero que en adelante tendría la responsabilidad de financiar la campaña" (pág. 575).

5a. "... pese a mi condición de Director de la campaña yo no tenía la responsabilidad de coordinar u orientar el comité Financiero, la responsabilidad era propia del tesorero de la campaña" (pág. 575).

6a. "Mis funciones como director de la campaña no me permitían dedicarle demasiado tiempo al esfuerzo financiero, cuya responsabilidad recaía sobre los hombros de Santiago Medina" (pág. 577).

7a. "... Todos los miembros del cuadro directivo de la campaña teníamos la responsabilidad de contribuir a la financiación de la misma. Teníamos autorización para recaudar recursos, pero esta autorización estaba estrictamente ceñida a las directrices del candidato, al código de ética que el candidato había promulgado y a los controles que el candidato había establecido para la recepción de los recursos financieros" (pág. 575).

8a. "... La campaña se organizó con un esquema moderno, de corte horizontal y descentralizado en contraposición a estructuras tradicionales, caracterizadas por ser centralizadas y verticales. Esto significa que los altos directivos de la campaña tenían un alto grado de autonomía, siempre y cuando obraran según los grandes lineamientos establecidos por el Doctor Ernesto Samper" (págs. 575 y 576).

9a. "Medina era quien tenía las funciones de coordinar el Comité Financiero Nacional, hacer gestiones directas ante personas para recaudar fondos y contribuir a hacer efectivos los sistemas de control" (pág. 576).

10. "Medina no debía rendir cuentas al Director de Campaña ni al candidato, pero sí tenía el deber supremo de obedecer el código de ética de la campaña y las directrices del Dr. Samper. ... y repito que el doctor Samper fue enfático, obsesivo diría yo, en señalar que bajo ninguna circunstancia y en ninguna condición podía aceptarse dineros de dudosa procedencia en las finanzas de la campaña" (pág. 576).

11. (Episodio del Hotel Intercontinental en el que en el baño le ofrecen a Medina dinero del cartel para la campaña, (pág. 576). Después de que Medina le comenta el incidente a Botero, éste dice que le informó a Samper quien urgentemente reunió al Comité para insistir que por ningún motivo se podía recibir aportes del narcotráfico (pág. 576). "... El doctor fue claro y preciso y categórico en solicitar al doctor Santiago Medina rechazar de manera contundente cualquier ofrecimiento de esta naturaleza" (pág. 580).

12. Botero se atribuye la operación del manejo de recursos en su cuenta de Nueva York y Banco de Colombia Panamá (pág. 577, mitad de página).

13. Los recursos que captó en Colombia el doctor Samper... "se ciñeron estrictamente a los parámetros legales y a los lineamientos que él mismo había establecido para garantizar la limpieza de las finanzas de su campaña" (pág. 577).

14. "Es falso que el presidente Samper hubiese recibido de parte del señor Nelson Urrego, una donación para la campaña, soy nuevamente testigo de excepción de la cautela que ejercía el doctor Samper al recibir cualquier tipo de donación y su preocupación ..." (pág. 584).

15. Ni antes de la campaña, ni con posterioridad a la campaña tuvo conocimiento el doctor Samper, o mi persona sobre donaciones del llamado

Cartel de la Costa Atlántica..." Botero tuvo conocimiento sólo al leer la indagatoria de Medina en el diario *El Tiempo*.

16. Habiéndosele recordado a Botero la gravedad del juramento prestado para la presente diligencia, insiste en lo siguiente: "Quiero ser categórico al afirmar que conozco al doctor Ernesto Samper Pizano desde hace más de veinte años y que tuve el privilegio de trabajar hombro a hombro con él en la campaña y en el gobierno. Por lo anterior tengo la certeza de que se trata de un hombre limpio y honorable. El doctor Ernesto Samper no tuvo ningún tipo de conocimiento ..." (pág. 584).

17. En una de las pruebas que pretende hacer valer Botero, éste le recomienda a Samper unas acciones concretas para la recta final de la primera vuelta. Allí le sugiere despolitizar su imagen y cumplir con las citas financieras (prueba No. 11 Memo a Samper) (anexa esta prueba en la diligencia del 5 de febrero de 1996, pág. 71).

18a. Niega rotundamente que Samper haya captado recursos en el exterior en dólares o en cualquier moneda extranjera (págs. 577 y 579, Diligencia 13 septiembre de 1995)

2.7.1.(b). Botero acusa a Samper de haber actuado en la operación de narcofinanciación por intermedio de sus amigos personales y políticos. (Diligencia del 22 de enero de 1996)

Contradicciones o inconsistencias:

1a. En ningún aparte describe cómo ni para qué actuó Samper por intermedio de sus amigos personales y políticos en la operación de narco-financiación. Por el contrario, en la diligencia del 22 de enero de 1996 deja ver Botero su gran injerencia en el manejo de los recursos de la campaña y la apropiación del liderazgo en la campaña (págs. 15,16, 17 y 18).

2a. Los recursos que captó en Colombia el doctor Samper... "se ciñeron estrictamente a los parámetros legales y a los lineamientos que él mismo había establecido para garantizar la limpieza de las finanzas de su campaña" (pág. 577, diligencia del 13 de septiembre de 1995).

3a. "… soy testigo de excepción de la cautela que ejercía el doctor Samper al recibir cualquier tipo de donación y su preocupación ..." (pág. 584).

2.7.1.(c). BOTERO acusa a SAMPER, dice que la situación financiera de la campaña era de total iliquidez al final de la primera vuelta. (Diligencia 30 de enero de 1996, pág. 14 o 94).

Contradicción:

"... no es cierto como lo expliqué en esta misma diligencia que la campaña estuviera sin un 'centavo' al finalizarse la primera vuelta presidencial, como ya lo expliqué la situación financiera de la campaña entrando a la segunda vuelta presidencial era satisfactoria... (pág. 581. Diligencia del 13 de septiembre de 1995).

2.7.1.(d). BOTERO acusa a SAMPER de encubrimiento. (Diligencias de 30 de enero de 1996, pág. 20, y diligencias del 5 y 7 de febrero).

Contradicciones:

1a. "... es falso que el doctor Samper sea 'amigo' de las presuntas cabezas del llamado Cartel de Cali. Como Presidente de la República lo que el doctor Samper ha demostrado es su voluntad indeclinable para combatir el narcotráfico y muy particularmente el cartel de Cali, esfuerzo en el cual tuve el privilegio de participar como Ministro de la Defensa..." (Diligencia 13 de septiembre 1995, pág. 582).

2a. "Ni antes de la campaña, ni con posterioridad de la campaña tuvo conocimiento el doctor Samper, o mi persona de donaciones del llamado cartel de la Costa Atlántica..." (13 de septiembre de 1995).

2.7.1.(e). Botero acusa a Samper de haber enviado mensajes a los del Cartel de Cali por intermedio de Parlamentarios (Diligencia del 5 de febrero de 1996).

Contradicción:

1a. "... Los planteamientos del doctor Samper sobre el problema general del narcotráfico en Colombia están contenidos en los discursos y documentos de campaña. No hubo ningún tipo de memorando secreto que fuese enviado a los llamados miembros del cartel de Cali por parte del doctor Samper Pizano o por parte del director de la campaña. Por todo lo anterior el argumento del doctor Medina carece de veracidad" (pág. 580, diligencia del 13 de septiembre de 1995).

2a. Nunca tuvo conocimiento de reuniones del Presidente con los del cartel de Cali (Diligencia del 13 septiembre de 1995, pág. 582).

2.7.1.(f). BOTERO acusa al gobierno de que no tenía una política antidrogas claramente definida y se pretendía despresidencializar la lucha contra la droga (diligencia del 7 de febrero de 1996).

Esta acusación la desvirtúa el propio Botero:

1a. "... Los planteamientos del doctor Samper sobre el problema general del narcotráfico en Colombia están contenidos en los discursos y documentos de campaña. No hubo ningún tipo de memorando secreto que fuese enviado a los llamados miembros del cartel de Cali por parte del doctor Samper Pizano o por parte del director de la campaña" (pág. 580).

2a. "... Como Presidente de la República lo que el doctor Samper ha demostrado es su voluntad indeclinable para combatir el narcotráfico y muy particularmente el cartel de Cali, esfuerzo en el cual tuve el privilegio de participar como Ministro de la Defensa..." (pág. 582. Diligencia del 13 sept. 1995).

2.7.2. El desarrollo temporal de las intervenciones de Botero

La secuencia es de interés, pues el cambio entre una y otra se encuentra a la vista de la opinión pública. ¿Por qué el cambio?

2.7.2.(a) En la diligencia de indagatoria del 15 de agosto de 1995, no se presentan cargos directos contra Samper. Botero es un poco evasivo y se limita a presentar información general sobre la organización de la campaña.

2.7.2.(b). En la continuación de la indagatoria del 17 de agosto de 1995 a las 8:50 a.m., elude un poco las preguntas y la Fiscalía lo contra-pregunta con frecuencia.

Hace referencia a la autonomía de los directivos: "Los nuevos esquemas gerenciales se basan en la descentralización y en la horizontalidad, en las relaciones dentro del cuadro directivo de cualquier entidad. Ese fue el esquema que yo quise imprimirle a la campaña. Por esa razón, no había órdenes ni estilo draconiano en el manejo de las personas que conformaban la cúpula de la campaña. Luego yo no le daba órdenes al doctor Santiago Medina, ni a ninguno de los directivos de la campaña. Añado por último, que tampoco recibía órdenes de parte del candidato SAMPER PIZANO, sino que normalmente llegábamos a un consenso entre los dos y demás cuadros directivos de la campaña para decisiones importantes" (pág.3 parte superior de la página).

2.7.2.(c). En la continuación de la diligencia de indagatoria, a las 2:20 p.m., del 16 de agosto de 1995, tampoco se hace una acusación por parte de Botero a Samper. Se centra la diligencia un poco en el manejo de la cuenta de Botero en Nueva York.

2.7.2.(d). En la continuación de la indagatoria, 2:20 p.m., del 17 de agosto de 1995, no acusa a Samper. Se desarrollan más bien otros temas: reunión con Maza Márquez, cuenta de Nueva York, déficit de la primera vuelta, giros a tesorerías regionales, cheques del narcotráfico de los señores Nelson Urrego y "Elisa", supuesta orden de Botero a Medina para conseguir dineros de los Rodríguez, cheques de gerencia del Banco de Colombia de Panamá, confrontación de la indagatoria de Avella en relación con Alberto Giraldo, y defensa personal de Botero.

2.7.2.(e). En la diligencia de declaración del 13 de septiembre, dentro del expediente radicado ante la Cámara de Representantes, Botero defiende plenamente a Samper. Este aspecto será desarrollado más adelante.

2.7.2.(f). En la ampliación de la indagatoria el 22 de enero de 1996, diligencia realizada a solicitud de Botero, éste decide por primera vez acusar a Samper. De allí en adelante Botero cambia completamente sus versiones anteriores (agosto y septiembre de 1995).

Esta sesión de ampliación de indagatoria es dividida por el mismo Botero en cinco partes: motivos para solicitar la presente ampliación (pág.1); desarrollo de la campaña (pág.5); actividades de encubrimiento durante la época de transición entre el final de la campaña y el inicio del nuevo gobierno y también durante la administración de Samper; precisión de responsabilidades; y conclusiones. Los últimos tres puntos los trata en la diligencia del 30 de enero.

Comienza por afirmar lo siguiente "... en la confusión, la desorganización y la angustia de la recta final de la campaña política, importantes sumas de dinero, provenientes del llamado Cartel de Cali, ingresaron a la campaña del Presidente Samper. Sobre el particular quiero ser claro y enfático: no fui el autor intelectual de esta iniciativa, no participé en la decisión de obtener estos dineros, no los recibí y no los distribuí". "En esos últimos días de la campaña tuve graves sospechas de lo que estaba en marcha y luego al conocer el contenido de los famosos 'narcocassettes', entendí claramente lo que había sucedido; sin embargo, y a pesar de todo lo anterior, tomé la decisión de no hacer nada al respecto y mirar para el otro lado" (pág. 2, último párrafo).

2.7.3. Relación de Cargos de Botero contra Samper

2.7.3.(a). En la diligencia de ampliación de la indagatoria a solicitud de Botero, del 22 de enero de 1996:

a.1. Acusa a Samper de conocer sobre la narcofinanciación de su campaña y afirma igualmente que Samper está seriamente comprometido en estos hechos. Expresamente excluye de ellos a Humberto de la Calle. (págs. 3 y 4).

Para Botero la aceptación de dineros del Cartel de Cali la hizo Samper a principios de la segunda semana de la segunda vuelta presidencial como consecuencia de la situación final provocada por varios aspectos que lo mostraban débil ante Pastrana y la presión de los del cartel (pág. 20). Pero a renglón seguido afirma: "Como lo afirmé al principio de esta diligencia, lo cierto es que jamás presencié ni fui testigo del ingreso de ningún dinero de origen ilícito en la campaña en sus primeras etapas. Reitero lo ya dicho en el sentido de que no me consta en absoluto que hasta la recta final de la campaña hubieran podido ingresar recursos de dudosa procedencia a las arcas presidenciales" (pág. 20). No tuvo nada que ver con la concepción intelectual, ni con la solicitud, ni con la recepción, ni con la distribución de los dineros del narcotráfico que ingresaron a la campaña. Esta afirmación la basa en tres argumentos: a) Su vida política y académica anterior; b) Jamás en su vida ha tenido contacto alguno con el narcotráfico o con ese mundo; c) Samper no le tendría la suficiente confianza como para proponerle acudir al Cartel de Cali para efectos de la financiación de la campaña (págs. 23 y 24): i - "En primer lugar hoy es más que evidente que (Samper) conocía a las principales cabezas del Cartel de Cali desde hace por lo menos los inicios de la década de los ochenta. En el momento de mi vinculación más estrecha con él, yo estaba convencido como muchos otros de sus cercanos colaboradores, de que se trataba quizás de contactos esporádicos, completamente inocentes, que se desarrollaron en un momento de tolerancia generalizada del país frente al narcotráfico..." pero con posterioridad a la campaña y con la investigación del proceso 8.000 "... tanto en Colombia como en el exterior, resulta hoy en día más que evidente que esta relación, QUE NO CONOZCO EN DETALLE (subrayado extratexto), fue mucho más estrecha de lo que yo jamás me hubiera imaginado. Por demás, varios de los amigos más cercanos de Samper tenían vínculos estrechos con la cúpula del Cartel de Cali" (pág.24). ii - "En segundo lugar, a diferencia de mi situación personal, Ernesto Samper tenía a cuestas en su pasado dos incidentes que lo ligaban de una u otra manera al tema del narcotráfico: la propuesta de la legalización de la marihuana en 1979 por un lado, y el incidente de recepción de dineros del Cartel de Medellín para la campaña liberal de 1982 por el otro" (pág. 25).

a.2. Acusa a Samper de haber actuado en la mencionada operación por intermedio de sus amigos personales y políticos. Fundamenta esta aseveración en: i- Lo que él vivió (pág. 19) y vio personalmente durante la campaña (Remitirse al aparte de la pág. 21 que dice: "en esos últimos días de la campaña empezaron a suceder cosas que no había observado hasta el momento. Extraños personajes... vi por primera vez a Alberto Giraldo... El desfile de Parlamentarios y dirigentes liberales se intensificó..."); ii- Los hechos posteriores a la misma, cuando se produjo una vasta operación de encubrimiento de la narcofinanciación de la campaña (dice que se referirá a esto posteriormente pero no se encuentra en esta diligencia del 22 de enero); iii - Lo conocido e investigado como Ministro de Defensa y en su condición de sindicado y detenido en la Escuela de Caballería.

b. En diligencia del 30 de enero de 1996:

a.3. Acusa a Samper de haber manejado la segunda vuelta con la estrategia de las dos campañas, la de opinión y la de la maquinaria liberal, lo cual implicaba altísimos costos (pág.13), cuando la situación financiera de la campaña era de total iliquidez al final de la primera vuelta electoral (págs. 14 o 94).

b.4. Sostiene que el ingreso masivo de fondos del narcotráfico se produjo en un período de 21 días (del 29 de mayo al 17 de junio de 1994). "Los hechos trascendentales, desde el punto de vista operativo, tuvieron que haberse desarrollado en la semana que inició el lunes 6 de junio de 1994"... lo fundamenta en el hecho de haber visto personajes extraños (pág. 18) y lo confirmó cuando tuvo conocimiento de los narcocassettes (pág. 18) Amplía lo que vivió en la campaña en la pág. 19.

a.5. Acusa a Samper y a su equipo más cercano de encubrimiento (pág. 20). En esta diligencia anuncia material probatorio que adjunta posteriormente en la diligencia del 5 de febrero de 1996. Estas "pruebas" se limitan a mostrar el pensamiento político y "moral" de Botero. Se apoya en informes de prensa y memorandos internos de él. Hace largos recuentos de anécdotas vividas durante la campaña.

2.7.3.(b). En diligencia del 5 de febrero de 1996:

b.1. Adjunta en varias oportunidades papeles para sustentar las acusaciones y su defensa. Ninguno de ellos hace relación con los hechos de la acusación, o sea el manejo de dineros en la campaña por instrucción de Samper, el encubrimiento y otros.

b.2. Acusa a Samper de haber enviado mensajes a los del Cartel de Cali por intermedio de parlamentarios y particulares (pág. 118).

b.3. Cataloga a Samper como el máximo responsable de las finanzas de la campaña al tenor del art. 109 de la Constitución Política (pág. 132, última parte).

b.4. Acusa a Samper en relación con la violación de los topes fijados por el Consejo Electoral, al igual que a Rodrigo Pardo, a Juan Manuel Turbay y a Horacio Serpa (pág. 132).

b.5. Acusa a Samper de la operación de encubrimiento (pág. 135) y lo trata de probar de la siguiente manera: después del narcocasete los asesores americanos le sugirieron a Samper que solicitara una investigación independiente de la Fiscalía, pues la hija del fiscal De Greiff había trabajado en la campaña, y no lo hizo (pág. 140).

2.7.3.(c). En la diligencia del 7 de febrero, Botero afirma:

c.1. Samper le discutió nombramientos claves para la lucha contra la droga, entre esos el de José Serrano, prueba del supuesto encubrimiento (pág. 5).

c.2. Medina le leyó a Botero una carta de los Rodríguez dirigida a Samper. Botero no la recibió pero informó de su contenido comprometedor al Presidente (pág. 19).

c.3. El Gobierno no tenía una política antidrogas claramente definida. Prueba del supuesto encubrimiento (págs. 31 y 32).

c.4. Samper recibió dineros directamente de Elizabeth de Sarria según le informó Medina (pág. 51).

c.6. Samper fue culpable de la extralimitación de topes (págs. 53 y 54).

c.7. Él (Botero) no dirigió, ejecutó, planeó ni participó en el recibo de dineros del Cartel de Cali (pág. 58).

2.7.3.(d). En la diligencia del 8 de febrero de 1996, 10:00 a.m. y 5:10 p.m.:

d.1. Manuel Francisco Becerra se comprometió a ayudar a la campaña. "Ayuda de carácter político, electoral y proselitista"... (pág. 326).

d.2. Samper lo puso a tomarle el pelo a Medina con un cargo en el gobierno para que no hablara (pág. 363).

d.3. No vio dólares en efectivo en caja fuerte, escritorio o archivador utilizado en la sede de la campaña (pág. 364).

d.4. Samper sabía del manejo de dineros en la cuenta de Botero en el exterior, que utiliza para recibir donaciones sin registrarlas contablemente (pág. 367).

d.5. En la Presidencia de la República contrataron abogados para aleccionar a las personas en lo que debían decir a la Fiscalía (pág. 369).

2.7.4. Defensas de Botero a Samper

A partir de la diligencia de ampliación de la indagatoria de fecha 22 de enero, Botero acusa a Samper drásticamente. Pero no fue siempre así: en las diligencias anteriores no acusa para nada a Samper; al contrario, lo defiende con profunda convicción:

(a). "Mi cercanía con el doctor Ernesto Samper me permite afirmar con pleno y total fundamento que se trata de un hombre honorable y pulcro. En tal condición expresó en múltiples oportunidades a los altos directivos de la campaña que debía organizarse el esfuerzo financiero de tal suerte que se tomaran todas las precauciones para evitar la eventual infiltración de dineros de dudosa procedencia en las arcas de la campaña. Me atrevo a señalar que este punto era casi una obsesión para el doctor Samper..." (pág. 1, parte final).

(b). En España (Marzo 1993) en el seminario de Pedraza, al sur de Madrid, Samper estableció tres grandes parámetros para el manejo de la financiación de la campaña: un Comité Financiero; democratizar las fuentes de financiación y establecer controles para evitar el ingreso de dineros de dudosa procedencia (pág. 574).

(d). Es falso el pacto de los recolectos (aporta el registro de migraciones del DAS para probar que no viajó con Giraldo ni Maestre (pág. 574).

(e). "...Todos los miembros del cuadro directivo de la campaña teníamos la responsabilidad de contribuir a la financiación de la misma. Teníamos autorización para recaudar recursos, pero esta autorización estaba estrictamente ceñida a las directrices del candidato, al código de ética que el candidato había promulgado y a los controles que el candidato había establecido para la recepción de los recursos financieros" (pág. 575, parte final)

(f). "... Los altos directivos de la campaña tenía(n) un alto grado de autonomía, siempre y cuando obraran según los grandes lineamientos establecidos por el doctor Ernesto Samper" (págs.575 y 576).

(g). "Medina no debía rendir cuentas al Director de la Campaña ni al candidato, pero sí tenía el deber supremo de obedecer el código de la campaña y las directrices del Dr. Samper". "... y repito que el doctor Samper fue enfático, obsesivo diría yo, en señalar que bajo ninguna circunstancia y en ninguna condición podía aceptarse dineros de dudosa procedencia en las finanzas de la campaña" (pág. 576).

(h). (Episodio del Hotel Intercontinental en el que le ofrecen dinero a Medina en el baño): Samper urgentemente reúne al Comité para insistir que por ningún motivo se podía recibir aportes del narcotráfico. "El doctor fue claro y preciso y categórico en solicitar al doctor Santiago Medina rechazar de manera contundente cualquier ofrecimiento de esta naturaleza" (págs. 576 y 580).

(i). Más adelante agrega "... no recuerdo ninguna donación que hubiera recibido el candidato Samper en dólares o en cualquier moneda extranjera" (pág. 579).

(j). Los recursos que captó en Colombia el doctor Samper ... "se ciñeron estrictamente a los parámetros legales y a los lineamientos que él mismo había establecido para garantizar la limpieza de las finanzas de su campaña" (pág. 577).

(k). "... Los planeamientos del doctor Samper sobre el problema general del narcotráfico en Colombia están contenidos en los discursos y documentos de campaña. No hubo ningún tipo de memorando secreto que fuese enviado a los llamados miembros del Cartel de Cali por parte del Doctor

Samper Pizano o por parte del director de la campaña. Por todo lo anterior el argumento del doctor Medina carece de veracidad" (pág. 580).

(l). "... No es cierto —como lo expliqué en esta misma diligencia— que la campaña estuviera sin un centavo al finalizar la primera vuelta presidencial; como ya lo expliqué la situación financiera de la campaña entrando a la segunda vuelta presidencial, era satisfactoria ... (pág. 581).

(m). "... Es falso que el doctor Samper sea amigo de las presuntas cabezas del llamado Cartel de Cali. Como Presidente de la República lo que el doctor Samper ha demostrado es su voluntad indeclinable para combatir el narcotráfico y muy particularmente el cartel de Cali ..." (pág. 582).

(n). No conoció de reuniones del Presidente con los del Cartel (pág. 582).

(ñ). "... soy nuevamente testigo de excepción de la cautela que ejercía el doctor Samper al recibir cualquier tipo de donación y su preocupación..." (pág. 584).

(o). Ni antes de la campaña, ni con posterioridad de la campaña tuvo conocimiento el doctor Samper sobre donaciones del llamado Cartel de la Costa Atlántica...".

(p). Habiéndosele recordado a Botero la gravedad del juramento prestado para la presente diligencia insiste en lo siguiente: "Quiero ser categórico al afirmar que conozco al doctor Ernesto Samper Pizano desde hace más de veinte años y que tuve el privilegio de trabajar hombro a hombro con él en la campaña y en el gobierno. Por lo anterior tengo la certeza de que se trata de un hombre limpio y honorable" (pág. 584).

2.7.5. Las posiciones de Medina

2.7.5.(a). En diligencia del 27 de julio de 1995:

"... tampoco es cierto que el doctor Samper me haya ordenado a mí que hablara con un señor Iragorri para reunirme con el Señor Rodríguez, todo esto es fruto de la imaginación del Señor Talero, comprobable por el doctor Alfonso Valdivieso Sarmiento..." con el ofrecimiento de cargos en la DEA se ha querido conseguir personas para enlodar el nombre del Presidente de la República poniendo en boca de Medina falsos hechos (pág. 13).

2.7.5.(b). En diligencia del 28 de julio de 1995

b.1. Acusa a Samper de tener de tiempo atrás amistad con los Rodríguez Orejuela.

b.2. Aunque en la diligencia del 27 de julio de 1995 niega haber conocido a Gilberto y a Miguel Rodríguez Orejuela (págs. 3 y 4); en la diligencia del 28 de julio de 1995 (pág. 9) cuenta la historia de como logró reunirse con los Rodríguez, dar un papel por órdenes de Botero y solicitar dos mil millones de dólares.

b.3. La Señora Elizabeth Montoya de Sarria colaboró directamente con el candidato consiguiendo unos dineros (pág. 13).

b.4. Fue el intermediario de los Rodríguez ante Botero y Samper (págs. 15 y 16)

2.7.5.(c). En diligencia del 25 de octubre de 1995 ante la Comisión de Acusación:

c.1. El doctor Samper recibió personalmente los cheques de Jorge Gnecco, esposo de María del Pilar Espinosa, en presencia de Medina (p. 15).

c.2. "El doctor Samper recibió en varias oportunidades dineros tanto en cheque como en efectivo, los cuales eran entregados en manifestaciones, cocteles, reuniones y citas en su apartamento".

c.3. "PREGUNTADO: Pero Usted personalmente y por su conocimiento puede hacer un cargo concreto en este sentido (haber recibido dineros del narcotráfico) al Señor Presidente de la República. CONTESTÓ: No, no lo puedo acusar, YA QUE DESCONOZCO EL HECHO de que haya entrado dinero de personas que hayan sido declaradas culpables de narcotráfico".

2.7.6. Cargos de Medina contra Botero

Son múltiples las oportunidades en que Medina responsabiliza en forma concreta a Botero de haber sido quien le ordenó acudir al Cartel de Cali para solicitar dinero a nombre de la Campaña y darle instrucciones precisas. Limitemos este recuento a lo que expresó en la diligencia de indagatoria del 28 de julio:

(a). Responsabiliza a Botero de haberle ordenado ir a buscar a los del Cartel de Cali y además dictarle un memo para los del Cartel. (Botero en la diligencia del 30 de enero de 1996 niega lo anterior).

(b). Una persona extraña le entregó a Botero 200 millones de pesos para destinarlos a Antioquia (págs. 12; y Diligencia 8 de febrero de 1996, pág. 354) (Botero lo niega en la diligencia del 30 de enero de 1996, pág. 27).

(c). Botero autorizó a Alberto Giraldo la entrega de 100 millones de pesos en efectivo a Mauricio Montejo (pág. 9 y 10) (Botero lo niega y lo prueba con lo dicho por Montejo en su testimonio (diligencia 30 de enero, pág. 28).

(d). Botero autorizó a Alberto Giraldo y a Eduardo Mestre para que le entregaran a Medina dineros del Cartel (pág.13).

2.7.7. De elefantes, conejos y zorras, una investigación necesaria

2.7.7.(a). De lo hasta aquí expuesto se deducen, H.H. Representantes, los siguientes hechos:

(a).1. Si a la campaña SAMPER PRESIDENTE alguien llevó dineros de dudosa procedencia, ellos no fueron para uso de la campaña. La denuncia que elevó el Fiscal General de la Nación contra el Sr. Presidente Ernesto Samper, se basa principalmente en un llamado dictamen pericial elaborado por profesionales de su nómina, grado II, ocultos bajo reserva de identidad, según el cual la campaña habría gastado 3.200 millones de pesos por encima de los ingresos que recibió de origen conocido, de donde deduce que dicha diferencia demostraría la verdad de las declaraciones de Santiago Medina y Fernando Botero sobre el ingreso de dineros de procedencia ilícita.

Pero este argumento se desvirtúa por la inconsistencia técnica del informe contable utilizado para la denuncia. De modo que, si bien la campaña no tenía situación boyante, los donantes y contribuyentes lícitos, algunos impulsados por el Candidato, podían dar un margen de confianza suficiente para no entrar en pánico y, por tanto, no verse ante la tentación de ceder a los dineros oscuros.

(a).2. Sin embargo, muchas razones existen para creer que son ciertas las versiones de Santiago Medina según las cuales él realizó varias veces, en la ciudad de Cali, en cumplimiento de precisas instrucciones recibidas de Fernando Botero, diligencias para entrevistarse con personas vinculadas al tráfico de drogas y plantearles la necesidad de recursos que tendría la campaña Samper Presidente para la 2a. vuelta, y que el resultado de esas diligencias fue positivo pues obtuvo el envío de cuantiosas sumas de dinero en efectivo que le llegaron a su casa en Santafé de Bogotá en cajas de cartón envueltas en papel regalo. Cuestión que quedaría demostrada no solamente por el dicho del mismo Medina sino porque diversos testimonios que obran en el expediente (declaraciones de los conductores y la Secretaria de Medina) confirmarían que en efecto a la casa del tesorero llegaron esas cajas llenas de dinero en efectivo.

(a).3. Definido el hecho primero, o sea que la campaña, como campaña, no habría requerido dineros de procedencia desconocida, y aceptado como cierto el hecho segundo, o sea que Medina sí pidió, por instrucciones de Botero, y recibió, recursos de personas vinculadas con actividades ilícitas, debe concluirse en uno tercero: los dineros solicitados a nombre de la campaña y recibidos para ésta pero que a ella no llegaron, a otra parte tuvieron que llegar. ¿A dónde llegaron? ¿Quién los tomó? ¿A quién beneficiaron? ¿Cómo se utilizaron sin sembrar dudas o sospechas? Es lo que la Fiscalía General de la Nación debe dilucidar. Con todo comedimiento solicito a la H. Cámara de Representantes que exija al Sr. Fiscal el esclarecimiento de estos hechos. Para contribuir a dicho esclarecimiento, me permito hacer a continuación algunos comentarios basados en informaciones que, en su mayoría, reposan en la Fiscalía.

2.7.7.(b). La hipótesis del conejo

Cada vez toma más fuerza la idea de que los dineros que, en cumplimiento de precisas órdenes de Fernando Botero, recibió el Sr. Santiago Medina de algunas personas relacionadas con el tráfico de drogas, tenían por objetivo no la campaña presidencial sino sus propios peticionarios, quienes con ellos realizaron cuantiosas inversiones en el país o en el exterior. Esta hipótesis parte de la base, ya demostrada, de que la campaña presidencial no utilizó tales dineros pero sí fueron recibidos por Medina, y que éste los obtuvo usando el nombre de la campaña para solicitarlos, en un deliberado engaño a quienes los entregaron. Como quien dice, poniéndoles conejo, según la expresión vulgar tan repetida en estos días.

Si esto fuera cierto, es lógico suponer que la investigación debe orientarse en primer lugar hacia las personas que aparecen como las directamente involucradas. Con el ánimo de contribuir a esa investigación, me permito incluir a continuación unas breves reflexiones sobre las personas que por su propia confesión o por las pruebas aportadas al proceso, estarían en la primera posibilidad de ser los autores intelecutales y materiales.

(b).1. Fernando Botero. Como ya lo conoce la H. Cámara de Representantes, la Fiscalía General de la Nación inició gestiones en los Estados Unidos de América para obtener información sobre las cuentas bancarias de Fernando Botero Zea en los Estados Unidos. Esas gestiones las inició en el 2o. semestre de 1995, cuando Botero fue detenido y negó cualquier posible ingreso de dinero de los carteles a la actividad electoral. En ese momento la Fiscalía consideró de vital importancia el manejo de dichas cuentas y por eso venció obtáculos jurídicos interpuestos por Botero para tener acceso a la información. Como resultado de dichas gestiones, envió a la Comisión de Investigación fotocopias de los extractos de las cuentas de Fernando Botero Zea en los Bancos Morgan Guaranty Trust (Cta. No. 61609915) y Bank of New York (Cta. No. 63000988485) de la ciudad de Nueva York. No envió, pese a los repetidos requerimientos de la Comisión, los datos relativos a otra cuenta que Botero confesó ante la Fiscalía que tenía en la misma ciudad, la No. 128716452 en el Barclays Bank. ¿Por qué la Fiscalía ha perdido, al parecer, interés por esta información? Bueno sería saberlo.

Pues bien, los datos recibidos de las solas dos cuentas mencionadas, arrojan serias sospechas sobre si en ellas pudo haberse depositado el dinero que Medina dice haber recibido dizque para la Campaña. Lo anterior por lo siguiente:

i - La tabla que a continuación se incluye, muestra el comportamiento de los ingresos a las cuentas relacionadas desde enero de 1992 hasta junio de 1995. En ellas es notorio que el promedio de depósitos en esas cuentas, entre enero de 1992 y diciembre de 1993, es del orden de los 70.000 dólares mensuales, de manera que podría considerarse dicha cifra como la que correspondía al movimiento normal de los ingresos en dólares por mes de Fernando Botero Zea.

ii- Este comportamiento normal se vuelve sorpresivamente extraordinario en los meses en los que se incrementa la recolección de fondos para la campaña e ingresa como tesorero el Sr. Santiago Medina, por petición expresa de Botero, o sea a partir de enero de 1994 y hasta cuando culmina la campaña, en junio del mismo año, mes a partir del cual regresa a su comportamiento ordinario, inclusive más reducido, puesto que entre julio de 1994 y febrero de 1995, el promedio mensual de depósitos es de 37.200 dólares. Esto significa que en los meses de la campaña presidencial de 1994, el volumen de depósitos que hace en sus cuentas en el exterior el Sr. Botero Zea salta a niveles sorpresivamente altos en relación con su promedio ordinario, puesto que entre Enero y Junio de 1994 deposita 6 millones de dólares en esas dos cuentas, sin conocer nada sobre los depósitos que pudo haber hecho en su cuenta en el Barclays Bank.

iii- El asunto es particularmente sorpresivo en mayo y junio de 1994, o sea el período final de la 1a. vuelta y toda la 2a. vuelta, que es justo el tiempo durante el cual Santiago Medina confesó haber recibido de los carteles cuantiosas sumas de dinero. En esas pocas semanas llegan a las cuentas de Botero en Nueva York, 4 millones 530 mil dólares.

iv- Fernando Botero ha explicado a través de los medios de comunicación que esos anormales movimientos en sus cuentas en el exterior tuvieron origen, parte en aportes para la campaña que recaudó y consignó en el exterior, parte por la venta de un valioso inmueble de su familia realizada en los finales de 1993 y parte por venta de pinturas de su padre en los meses de mayo y junio de 1994. Sin embargo, frente a estas explicaciones surgen los siguientes hechos:

A- Las certificaciones aportadas por Botero sobre recaudos de aportes en el exterior sólo totalizan 1,25 millones de dólares.

B- No aparece en las declaraciones de renta correspondientes a 1993 y 1994 tanto de Fernando Botero como de su Señora Madre, la Señora Gloria Zea, propietaria según Botero del inmueble vendido, ningún ingreso por venta de activos fijos, que debería aparecer en el renglón de ganancias ocasionales. Tampoco Botero o algún miembro de su familia ha aportado la escritura pública en la que debería constar esa transacción, si fuera cierta.

C- Tampoco aparece en las declaraciones de renta de Fernando Botero en 1994, ingreso alguno por las ventas de las pinturas que dice haber hecho ni por cualquier otra actividad comercial, en volúmenes siquiera reducidos en relación con los depósitos hechos en Nueva York.

D- Botero sólo ha mencionado tres de los compradores de los cuadros de su padre: el financista Luis Carlos Sarmiento Angulo y los Doctores Juan Manuel Santos y Mauricio Rodríguez. El primero declaró ante la Comisión de Investigación y Acusación, que no compró cuadros a Botero en la época de la campaña. El segundo ha dicho que si bien compró parte de una escultura del maestro Botero, su inversión fue de solamente 25.000 dólares. ¿Cómo pretende Botero, entonces, justificar depósitos por varios millones de dólares con la supuesta venta de obras de arte?

v- Si no hay explicación para esos inmensos depósitos, quedan vivas las siguientes preguntas:

A- ¿Cúal es el origen de los 4 millones 530 mil dólares que depositó Fernando Botero Zea en los meses de mayo y junio de 1994?

B- ¿Por qué la extraña coincidencia de esos movimientos extraordinarios justamente con el período en el que, según Santiago Medina, éste hizo tratos con los jefes del Cartel de Cali por orden expresa de Botero, o sea mayo y junio de 1994?

C- ¿Cómo es posible que se realice la venta de un inmueble por más de mil millones de pesos de 1993 (cerca de 1.700 millones de 1996) sin que quede rastro alguno?

D- ¿Es creíble que Fernando Botero, que al parecer no vendía pinturas antes de la campaña ni vendió en los meses siguientes, se hubiera dedicado a venderlas justamente en los meses de mayo y junio de 1994, cuando, como Director General de la Campaña, estaba agobiado de trabajo?

E- ¿Por qué no revela él mismo el contenido de su cuenta en el Barclays Bank si no tiene nada que ocultar?

vi- El 28 de Junio de 1994, Fernando Botero entregó a la firma bursátil CORREDORES ASOCIADOS, 9 cheques de gerencia expedidos por el Banco de Colombia, que sumaban el equivalente en pesos a un millón de dólares, girados a algunos de los colaboradores de la campaña, para hacer con ellos inversiones. ¿De dónde salió este dinero? ¿Por qué los cheques estaban girados a personas que trabajaban para Fernando Botero en la Campaña si los recursos no eran para la campaña? Recuérdese que anteriormente Botero había hecho girar cheques de Gerencia, también del Banco de Colombia, por una cantidad similar, igualmente a nombre de sus colaboradores en la Campaña, pero esos sí fueron entregados por Botero a Medina, lo que en cambio no sucedió en esta oportunidad que fueron directamente a la firma de inversión mencionada.

Movimiento de depósitos mensuales de Fernando Botero Zea en sus cuentas en el exterior (en dólares de los Estados Unidos de América)

FECHA	MORGAN BANK cta. No. 61609915	NEW YORK BANK cta No. 63000988485	TOTAL
Jan-92			
Feb-92	29,000		29,000
Mar-92	24,629		24,629
Apr-92	6,000		6,000
May-92	106,900		106,900
Jun-92	58,220		58,220
Jul-92	12,000		12,000
Aug-92	0		0
Sep-92	27,771		27,771
Oct-92	20,737		20,737
Nov-92	22,256		22,256
Dec-92	41,025		41,025
Jan-93	56,000		56,000
Feb-93	76,788		76,788
Mar-93	104,600		104,600
Apr-93	69,146		69,146
May-93	56,000		56,000
Jun-93	6,000		6,000
Jul-93	65,000		65,000
Aug-93	96,790		96,790
Sep-93	155,845		155,845
Oct-93	194,000		194,000
Nov-93	72,519	2,001	74,520

FECHA	MORGAN BANK cta. No. 61609915	NEW YORK BANK cta. No. 63000988485	TOTAL
Dec-9	244,428	100,064	344,492
Jan-94	176,405	55,602	232,007
Feb-94	145,217	67,258	212,475
Mar-94	572,290	226,211	798,501
Apr-94	31,735	150,494	182,229
May-94	9,985	1,221,041	1,231,026
Jun-94	1,707,244	1,591,774	3,299,018
Jul-94	31,285	81	31,366
Aug-94	114,536	48	114,584
Sep-94	20,852	60,118	80,971
Oct-94	19,970	175	20,145
Nov-94	0	144	144
Dec-94	19,985	10,062	30,047
Jan-95	9,985	88	10,073
Feb-95	9,985	0	9,985
Mar-95	659,985		659,985
Apr-95	49,578		49,578
May-95	520,197		520,197
Jun-95	9,985		9,985

La Comisión de Investigación y Acusación de la H. Cámara no recibió colaboración de la Fiscalía en la investigación sobre el origen y el destino de los fondos que movió Botero en sus cuentas en el exterior ni en cuanto a la cuenta del mismo Botero en el Barclays Bank en la ciudad de Nueva York. La Comisión solicitó en tres oportunidades esta colaboración sin obtener respuesta y sin saberse nunca el porqué de esa actitud. Quizá terminado este proceso contra el Sr. Presidente y calmada la tormenta, pueda la Fiscalía averiguar, ya no para la Comisión sino para el país, lo que se esconde detrás de esas cuentas. Sería una gran contribución al conocimiento del zoológico.

(b).2. Santiago Medina

En el expediente reposan informaciones de particular importancia para orientar la investigación que el fiscal debe hacer sobre Santiago Medina si desea esclarecer qué camino tomó el dinero que Medina pidió y recibió a nombre de la Campaña:

i- Los conductores al servicio de Medina en la época, Sres. Humberto Nemojón y Darío Pulgarín, declararon bajo la gravedad del juramento que a la casa de Medina llegaron, en los días de la segunda vuelta, varias cajas de tamaño y peso un poco mayores que una de licor y que dichas cajas estaban llenas de dinero en efectivo, en billetes de $10.000, con fajas del Banco de Colombia;

ii- Estos mismos conductores declararon que sólo una parte de ese dinero fue empacada por orden de Medina en sobres de manila; pero otra parte, la mayoría, fue llevada por ellos, pasadas las elecciones, a unas casas de cambio;

iii- Declararon también que el Sr. Medina adquirió en los días siguientes a las elecciones, varios inmuebles en la ciudad de Girardot, cuyo costo sumado, estiman ellos por lo que pudieron informarse, fue de varios cientos de millones de pesos. Igualmente declararon que por los mismos días adquirió un lujoso automóvil deportivo y construyó una elegante casa en un lote que ya poseía desde antes en Girardot.

iv- De las declaraciones de estos conductores se desprende, además, que Medina era conocido de tiempo atrás de la Sra. Elizabeth Montoya de Sarria, quien le regaló unos finos caballos de paso, y de algunos de los identificados como miembros de los carteles, entre ellos el Sr. Víctor Patiño Fómeque.

v- Primeras averiguaciones sobre los inmuebles en Girardot han permitido establecer que Medina adquirió en el 2o. semestre de 1994 los lotes No. 21 y 22 en la zona de reserva tercer sector del Condominio Campestre El Peñón.

vi - Informaciones también de los conductores de Medina permiten saber que éste tenía estrecho contacto con el representante en Colombia de un banco suizo, con quien el parecer podría haber hecho algunas transacciones en los días siguientes a las elecciones.

(b).3. Una pareja más unida de lo que parecía.

A lo largo de sus declaraciones, Fernando Botero insistió en que si bien mantuvo algunos contactos con Santiago Medina después de las elecciones, ellos no eran frecuentes y obedecían particularmente a la necesidad de "niñeriar" a Medina para que no hablara de lo sucedido en la campaña.

Pues bien, de lo que obra en el expediente se puede colegir:

i- Según los conductores de Medina ya citados, Nemojón y Pulgarín, Medina visitaba con mucha frecuencia a Botero. En algunas semanas concurría a su apartamento todos los días. También lo visitó algunas veces en el Ministerio de Defensa;

ii- Medina enviaba cada dos o tres semanas varias cajas de pescados y mariscos a Botero (se supo luego, por declaraciones públicas del abogado de Medina, que dichas cajas eran remitidas por el Sr. Víctor Patiño Fómeque);

iii- La exsenadora María Izquierdo narró en declaraciones radiales el 23 de enero de 1996 una tierna historia sobre Fernando Botero y Santiago Medina: "entonces fue conmovedor y eso el Dr. Botero que le cuente al país cómo se intercambiaban sus regalos de navidad, como llegaron a un perdón cristiano maravilloso" por las acusaciones que cada uno le había hecho al otro.

iv- Lo anterior despeja el camino para entender por qué la insistencia de Botero, aceptada por él mismo, de obligar a Mónica de Greiff a retirarse de la tesorería de la campaña para, en su lugar, colocar a Santiago Medina. La identidad entre el uno y el otro, develada en los párrafos anteriores, lo explica con claridad.

(b).4. El cuento del elefante

Hizo carrera en los corrillos la insinuación de un prelado de la Iglesia Católica según la cual si un elefante entra a la sala de la casa es imposible no verlo. Según él, era tan grande la cantidad de dinero en efectivo que se distribuyó en la campaña, que no resultaba creíble que el Candidato no lo viera. Este cuento carece de sentido lógico, por las siguientes razones:

i- La cantidad tan grande de dinero en efectivo no resultó cierta, sin negar que apreciables sumas se distribuyeron entre el 10 y el 17 de junio de 1994, pero:

A- De los supuestos 3.100 millones enviados a las tesorerías regionales, más de 1.000 millones lo fueron en cheques. Así está demostrado en el expediente (cheques de Gerencia del Banco de Colombia por la operación de cambio de divisas ordenada por Botero y los cheques entregados a la tesorería de Antioquia).

B- Cerca de 300 millones no fueron entregados a las tesorerías, como lo declararon los tesoreros que según Medina los habían recibido (ver el punto 2.5. de este memorial).

C- El dinero que fue entregado en efectivo a los tesoreros regionales, se les entregó parte en la casa de Medina, a donde el Candidato nunca fue en ese período, y parte en el garaje del edificio de oficinas donde funcionaba la sede de la campaña; de modo que lo efectivamente entregado en la sede fue sólo una fracción.

D- Es normal que en las campañas presidenciales se hagan giros a las tesorerías regionales en dinero efectivo cuando se acercan los días finales, por cuanto es imposible enviar cheques cuyo canje demora un tiempo superior al faltante para el día de los comicios. Por tanto, el movimiento en efectivo no podía parecer extraño a quienes estuvieran en la sede, si se considera que era necesario remitir los fondos a los más de 1.000 municipios de Colombia, a donde debían llegar en el término de 2, 5 o 7 días.

ii- En la 2a. vuelta, como coinciden todas las declaraciones que obran en el expediente, el Candidato Samper no concurrió sino de manera esporádica y siempre con gran premura, a la sede de la campaña. No sólo era la primera vez que en Colombia se llegaba a una segunda vuelta con sólo 3 semanas para definir el resultado, sino que la diferencia entre los candidatos en la 1a. vuelta había sido tan estrecha que se imponía desarrollar una tarea de intensidad inusitada. Por lo general, los últimos días de cualquier campaña electoral en cualquier país, demandan esfuerzos especiales a los candidatos. Con mayor razón en las circunstancias en las que se adelantaba esa 2a. vuelta. En las dos últimas semanas de la 2a. vuelta, en las que se proveyó de recursos a las tesorerías regionales, Samper visitó cerca de 20 ciudades, atendió decenas de entrevistas para prensa escrita, radio y televisión, y concurrió a varios actos populares en Bogotá. Por consiguiente, lo que riñe con la lógica es suponer que en esas condiciones el Candidato podía darse cuenta de lo que sucedía en las áreas administrativa o financiera de la organización.

iii- Pero hay algo todavía más importante: si en realidad Botero y Medina fraguaban la manera de utilizar la campaña para solicitar dineros con fines diferentes, bobos serían –muchas pruebas hay en contrario– si contaran al Candidato sus propósitos. Un plan táctico para ocultarlo tenía que formar parte de su estrategia. Todo debía ser cuidadosamente manejado para que los directivos de la campaña no pudieran percatarse. ¿Cómo suponer, entonces, que el dueño de casa, si así pudiera considerarse al Candidato, podía darse cuenta de las maniobras que adelantaban aquellas personas a las que no sólo no tenía tiempo ni lugar para vigilar, sino, además, consideraba de su entera confianza?

iv- Alguna persona podría preguntarse: si el propósito era tomar esos dineros para su propio beneficio, ¿por qué llevar los billetes a la sede de la campaña? ¿Por qué no mantenerlos bien guardados y después sí sacarlos a escondidas? Las respuestas son muchas. La primera de ellas que había que "lavar" esos billetes. No es fácil desaparecer varios miles de millones de pesos en efectivo en una actividad normal, pero en cambio sí lo es a través de una campaña presidencial que ofrece razón suficiente para hacer circular esos dineros y dispersarlos por todo el país. Ardua tarea para un investigador sería seguir la pista a unos billetes que en menos de tres días cubrirían todo el territorio nacional. Otra hipótesis puede hacer pensar en historias de traición, en trampas que se tienden para luego cobrar presas de gran valor. ¿Por qué Santiago Medina llamó a Andrés Ignacio Talero a Miami para preguntarle si la DEA tendría interés en recibir informaciones sobre supuesta financiación ilícita de la campaña presidencial a cambio de inmunidad y protección para el informador? ¿Desde cuándo se le pudo ocurrir esa idea? Recordemos que la llamada fue en octubre de 1994, sólo cuatro meses después de las elecciones.

(b).5. La fábula de las zorras

Este proceso ha ido llenándose de un vocabulario especial. Quizá convenga recordar a un animal particular: la zorra. Dicen los zoólogos que es un animal astuto y taimado, hábil para atacar a traición, que se las sabe todas para atrapar a su víctima y huir.

Recordarlo puede dar las mejores pistas para que la Fiscalía General de la Nación descubra lo que pasó en la campaña electoral de 1994 y se lo cuente al mundo. Siempre y cuando tenga interés en hacerlo.

La Fiscalía, como el granjero, debe buscar en dónde tienen su guarida las zorras. Rastrear cuentas en el exterior, no sólo en Estados Unidos sino también en Suiza y otros países de Europa. Buscar inversiones inmobiliarias en Girardot, en otros municipios de tierra templada y en la Sabana de Bogotá. Preguntar quién ofrecía comprar edificios y apartamentos con pagos en efectivo en los días siguientes a las elecciones presidenciales. Averiguar si es cierto que en esta ciudad de Santafé de Bogotá existen bodegas en donde se acumulan obras de arte, engordándolas, para luego salir al mercado y obtener pingües ganancias.

La Fiscalía debe averiguar también cómo es que María Izquierdo visitaba tan asiduamente a Santiago Medina, a escondidas, por las mismas épocas en que visitaba con similar frecuencia a Fernando Botero, como si se tratara de concertar entre ellos y con ellos lo que luego terminaría siendo el único testimonio (el de la sra. Izquierdo) que intentaría comprometer al Candidato Samper en la entrega de dineros en efectivo a las tesorerías regionales.

Después de todo y con todo se sabrá si alguna vez salieron los elefantes y si alguien puso conejo o si lo que ha habido es el desfile de las zorras.

2.7.8. Sobre unas mentiras de Botero por fuera del proceso que permiten confirmar el grado de credibilidad del testimonio

La calidad del testimonio depende no tan sólo de lo que el testigo afirma en el proceso. En ocasiones para llegar al convencimiento sobre la veracidad y confiabilidad del testigo, elementos extraproceso se vuelven claves. En el caso de Fernando Botero esto sí que es cierto. Todo indicaría que mentir es una de sus inclinaciones predilectas y que lo hace con gracia, con estilo, con asesoría exranjera, además. Siendo ello así, su testimonio se vuelve sospechoso, muy sospechoso. La mente de quien lo sigue se ve por fuerza sujeta a inmensas dudas.

2.7.8.(a). El 22 de Enero de 1996 el país, casi todo el país, se sorprendió con una entrevista exclusiva de televisión en la que el exministro Fernando Botero, recluido en la Escuela de Caballería al Norte de Bogotá, cambiaba radicalmente el sentido de las versiones que hasta ese momento había explicado en torno a la campaña presidencial y la responsabilidad de Ernesto Samper. De defensor se convertía en el más puntual acusador.

Treinta y seis horas antes todos los periódicos del país habían publicado las palabras de otro exministro liberal en las que decía que si Botero hablaba, Samper se caía en 15 minutos. La gente no demoró en relacionar uno y otro reportaje. Pero no. No podían tener relación porque Botero, con cara compungida, rodeado espiritualmente de sus pequeños hijos que lo miraban amorosamente desde una fotografía, con un Crucifijo a sus espaldas y un dibujo infantil que llenaba de ternura el ambiente, a la pregunta de cuándo había decidido dar su nueva versión, había respondido: "fue en la mañana de hoy cuando tomé este paso".

Así que resultaba imposible alguna concertación entre uno y otro exministro. El que había declarado que si Botero hablaba el Presidente se caía en 15 minutos, había expresado tal cosa dos o tres días antes de que Botero hubiera tomado la decisión de hablar. El país debía por tanto desechar la idea de que entre estos dos personajes se había fraguado algo contra el Presidente Samper. A Botero debía creérsele porque todo en el escenario indicaba que decía la verdad, su voz quebrada por la emoción y la tristeza, su expresión de profundo arrepentimiento. Además, estaba pidiendo perdón a sus propios hijos, a su familia entera, a todos y cada uno de sus compatriotas. ¿Cómo no creerle? ¡Hasta un obispo de la Santa Iglesia Católica vio que su figura se envolvía en el aura de la verdad!

Pero resultó mentira. Botero, al tiempo que pedía perdón a los colombianos por haberles mentido, les decía nuevas mentiras. No era cierto que sólo esa mañana hubiera decidido hablar para decir la verdad, "mi verdad", como él mismo la llamó.

Al día siguiente repitió la mentira. Interrogado por otro telenoticiero dijo: "yo tomé la decisión de ampliar mi indagatoria en el día de ayer".

Muchos testimonios demuestran lo contrario. Veamos algunos:

i - El mismo día 22 de enero de 1994, Botero concedió otra entrevista con similar contenido, pero esta vez para la prensa internacional. Lo hizo a través del periodista Jorge Ramos de Univisión. Pues bien, este periodista declaró, según lo transmitió la Cadena Caracol de Colombia el día 23 de enero, que viajó a Colombia desde su lugar de residencia en Norteamérica porque lo habían contactado en nombre de Botero desde 10 días atrás y le habían dicho que el Dr. Botero lanzaría una bomba y que esa bomba era que iba a cambiar de posición.

ii- El abogado defensor de Botero, Sr. Fernando Londoño Hoyos, dijo en declaraciones por los canales de televisión: "hablé con la Fiscalía en varias ocasiones, solamente para determinar las circunstancias de lugar, el tiempo y modo en los que se iba a hacer la indagatoria y para advertirles que el Dr. Botero se limitaría a decir la verdad, toda la verdad y nada más que la verdad".

iii- En otra oportunidad, esta vez en declaraciones radiales, el mismo Abogado Londoño expresó: "lo que le puedo testificar al país es que el día 8 de enero cuando hablé con Fernando Botero por espacio de varias horas, no fue para discutir la posibilidad de una decisión sino para escuchar a un hombre que de mucho tiempo atrás había tomado una decisión irrevocable".

iv- También dijo: "(ese domingo de Enero) ya habíamos invertido semanas de turbio en turbio, componiendo las piezas fácticas que eran de importancia definitiva para el país".

v- La entonces Senadora María Izquierdo amplió los día 12 y 17 de enero de 1996, la indagatoria que había rendido ante la Sala Penal de la Corte Suprema de Justicia. En esas ocasiones modificó sus versiones anteriores para declarar que ella había sido testigo de que el Sr. Santiago Medina había recibido dinero de los jefes del Cartel de Cali, y tan lo había utilizado para la campaña presidencial que ella misma había recogido, previa confesión de Medina de la procedencia del dinero, 30 millones de pesos. Y para involucrar al Candidato dijo que éste la había enviado a donde Medina por esos millones.

A los pocos días, enero 23, interrogada María Izquierdo por los periodistas acerca de la razón por la cual había decidido tomar la determinación de confesar y comprometer al Dr. Samper, señaló: "Nosotros llevábamos reuniéndonos con Fernando Botero durante 2 meses. Lo visitábamos en una forma que no fuera pues tan evidente porque el gobierno y sobre todo

110

los periodistas nos podían ver reuniéndonos y se iban a preguntar qué es la visitadera de varios funcionarios y varias personalidades y que estábamos en aras de tomar esa determinación. Fernando Botero fue para nosotros el líder indispensable de la determinación", y agregó que esa decisión se tomó "un día por ahí cerca a Reyes".

Todos los testimonios transcritos dejan al descubierto una verdad: Botero, en ese día 22 de Enero, volvía a mentir. Pero no sólo mentía. Lo hacía mientras con expresión contrita pedía perdón a sus hijos, a su familia y al país entero por haberles supuestamente mentido antes, durante meses.

A algunos podría parecer intrascendente este episodio. Quizá se preguntarán por qué el abogado del Presidente se detiene en algo puramente circunstancial. Pero no es baladí. Si a un testigo se le ha de evaluar, preciso es conocer la pasta moral de la que está hecho. ¿Cómo aceptar que dice la verdad cuando, contradiciéndose consigo mismo, acusa al Presidente, si resulta que en el mismo momento está mintiendo de nuevo?

Si el Señor Botero es el principal testigo de cargo contra el Presidente Samper, los H.H. Representantes y el país tienen el derecho de conocer al que acusa para discernir sobre su credibilidad.

2.7.8.(b). Todo lo expresado en el punto anterior podría parecer una manera de aprovechar un hecho meramente episódico para debilitar la autoridad moral de Botero como acusador del Presidente. Pero, ¿qué decir si se comprueba que cada una de sus palabras en esa "confesión", cada uno de sus gestos, cada detalle del escenario, se habían planeado con frío cálculo desde semanas atrás?

El país entero recuerda, y obra en el expediente, que agentes de emigración retuvieron documentos que transportaba fuera del país la ciudadana española-panameña-estadounidense Lysa Myr, que dijo ser periodista pero luego se demostró que pertenecía a una firma de asesores de imagen que colaboraba desde mucho tiempo atrás con Botero.

Pues bien, entre los papeles que llevaba la señora Myr apareció uno de particular interés. Era un memorando dirigido a Botero por sus asesores el 16 de diciembre de 1995, en el que le daban instrucciones para el gran momento de su confesión. Entre las cosas allí escritas aparecen las siguientes:

– "Es necesario manejar toda esta situación con un máximo de planeación para que funcione a corto y mediano plazo".

– "El rol del Fiscal es crucial en términos de los medios a corto plazo y de cómo Ud. es percibido a largo plazo. Ud. debe negociar una declaración específica, escrita, que él (el Fiscal) entrega ante las cámaras de TV y otros medios".

– "La declaración debe hacer énfasis en que Ud. está diciendo la verdad, siendo honorable, actuando en favor de los mejores intereses de Colombia y dar un testimonio que sea consistente con lo que Ud. ha dicho antes".

– "María Elvira y los muchachos deben acompañarlo en su presentación ante el público. Esta foto-oportunidad será esencial para establecer un tono personal, no político".

– "Durante este período (posterior a la declaración) usted debe tener a terceros 'defensores' preparados para hablar por Usted, particularmente en la radio en la mañana en Bogotá.

– "Usted quiere ser accesible y dispuesto a contar su historia. Usted debe programar una primera aparición en QAP o CM& y darles la oportunidad de promocionar en exclusiva. Debe ser una entrevista grabada en video y no debe ser editada".

– "Es necesario que Usted enfatice en que 'Yo regresaré' y lucharé por la Colombia en la que todos creen. 'Por la seguridad de mi familia' Usted necesita estar un tiempo fuera del país".

– " 'No golpee al Rey sin matarlo' (o lo que sea)".

– "Las primeras 72 horas después de su presentación pueden decidir su futuro político".

Y un asunto final en este documento: los asesores previenen a Botero sobre la posibilidad de que su declaración produzca el efecto de "arruinar cualquier intento de certificación para Colombia". Le dicen que "una cosa es ser desleal con Samper y otra traicionar al país".

2.7.8.(c). Que la entrevista fue el resultado de un frío calculo de asesores extranjeros para salvar el futuro político de Botero, queda al descubierto por el documento anterior, sin lugar a duda. Pero hay otro documento, entre los que transportaba la Sra. Myr, que puede revestir aún más importancia para conocer las condiciones morales de Botero.

En la misma entrevista concedida el 22 de Enero de 1996, Botero dijo, sumido en la más profunda pena: "esta mañana tuve que enviar a mis dos hijos más pequeños al exterior (porque) mi familia entera está amenazada, mis amigos cercanos, mis abogados…" . Y añadió: "no sé en cuánto tiempo los pueda volver a ver, Usted que es padre de familia me entiende, es decir, cuando uno pierde el contacto con los hijos, cuando no puede volverlos a ver es muy triste, yo estoy muy triste por eso, quién sabe cuántos meses o cuántos años pasen antes de que yo pueda volver a estar con ellos".

De modo que, según estas palabras, su familia entera estaba amenazada y por eso, en aras de la seguridad de los niños, se desprendía de ellos, quién sabe por cuánto tiempo, lo que le desgarraba en lo más profundo el corazón.

Pues bien, ¿qué pensar si se descubre que todo era una pantomima para despertar compasión o, peor aún, que sí eran ciertas las amenazas, pero a pesar de ellas ese padre amoroso no dudaba en poner en riesgo sus hijos para lograr un beneficio político?

El documento al que me referí al empezar este punto se denomina "estrategia a corto plazo" y fue dirigido a Botero por los asesores extranjeros el 28 de enero de 1996, o sea cuando apenas habían transcurrido 6 días desde aquel tan aciago en el que se había visto obligado a sacar del país "a mis dos hijos más pequeños", para colocarlos a salvo de las amenazas que pendían sobre "mi familia… mis amigos cercanos, mis abogados…"

En este documento uno de los puntos del "plan táctico" para los días venideros se refiere "al regreso de los niños". Se desprende de él que en los siguientes días, al parecer en la semana que comenzaba el 29 de enero, ellos serían traídos de nuevo al país. La asesoría extranjera indicaba a Botero que debía filtrar la información de su regreso, explicarla en razón de que "ellos estaban muy tristes y necesitaban regresar", pero que "es atroz que alguien intente filtrar información que coloca en peligro a mis hijos" y exigir que se incremente su seguridad.

Francamente, H.H. Representantes, no tengo palabras para expresar la honda perturbación que sentí cuando leí el anterior documento. Entonces me dije que, definitivamente, todos los colombianos tenían derecho a conocer la costra moral de quien se había erigido, con la complacencia de muchos y bajo la dirección de otros, en el Catón que fustigaría en todo momento y a toda hora al Ciudadano Presidente en quien, como dije en otra parte, los colombianos, aun sus malquerientes, reconocen la condición de hombre honesto, sin ambiciones por el dinero, austero y con inmensa fe en sus compatriotas y en su país.

Por eso he escrito estos párrafos. Estoy seguro de que el conocimiento en lo profundo de la mente y el corazón de un hombre es lo que permite creerle o poner en duda y sospecha sus afirmaciones.

2.8. El caso del encubrimiento

En un evidente error de técnica jurídica, la denuncia intenta estructurar contra el Presidente Samper dos cargos simultáneos que se excluyen mutuamente: el de autoría y el de encubrimiento del ilícito que se supone el encubridor cometió. Bien se sabe que sólo se puede encubrir conducta ajena y previa.

No obstante, es fácilmente entendible el propósito: si a Samper no se le puede demostrar que participó en supuestas maniobras para obtener financiación ilícita para su campaña presidencial, al menos que quede en el mundo alguna sospecha surgida de la insinuación de haber participado en actividades con las que algo, cualquier cosa, se pretendía ocultar.

La acusación de Botero, acogida por el Fiscal, se compone de cuatro partes: a) reuniones secretas en la Casa de los Presidentes para planear cómo ocultarle a la Fiscalía y a la opinión pública los hechos sucedidos durante la campaña; b) utilización de los poderes del Estado para acallar periodistas, jefes políticos en trance de oposición y colaboradores de la campaña que pudieran ceder a la tentación de cantar; c) maniobras encaminadas a lograr de los altos tribunales la declaración de que el Fiscal Valdivieso terminaría sus funciones el 31 de marzo de 1996 en lugar de 1998, y d) entrabamiento a la Fuerza Pública en sus tareas de persecución a los carteles.

2.8.1. Las reuniones secretas

No hay en el curso de todo el expediente una sola prueba que confirme lo que la mente delirante de Fernando Botero urdió para acusar por encubrimiento al Presidente y a sus más cercanos colaboradores. ¿Reuniones secretas en Palacio, a altas horas de la noche, con luces apagadas para que nadie fisgoneara desde afuera y música de fondo para imposibilitar grabaciones? ¿A quién se le ocurre que un Presidente de la República tenga que tramar ardides para que sus reuniones con sus Ministros y colaboradores no llamen la atención? Si es de la esencia del gobierno que el Jefe del Ejecutivo y el gabinete o parte de él o cada alto funcionario individualmente, se reúnan de manera frecuente sin importar la hora ni el tiempo.

Pero la Fiscalía de manera inexplicable acogió en la denuncia esa historieta de tira cómica sin que hubiera un solo testigo que la confirmara. Y, claro, la Comisión de Investigación de la H. Cámara no pudo encontrar indicio aunque fuera de esas reuniones en penumbra, por la sencilla razón de que es imposible probar lo que nunca ha sucedido. Los funcionarios supuestamente comprometidos desmintieron en coincidencia absoluta la acusación.

2.8.2. Las maniobras del silencio

Acoge la Fiscalía, otra vez, como fundamento suficiente para la denuncia, las versiones de Botero según las cuales se planeaba al más alto nivel del gobierno cómo utilizar los poderes del Estado para silenciar a quienes pudieran comprometer al Presidente. Pero, como en el caso anterior, no se presentó prueba alguna, testimonial o documental, que permitiera darle algún viso de credibilidad a esas historias. Sólo lo dicho por el mismo acusador sobre una tarea a él supuestamente encomendada de "niñeriar" a Santiago Medina para que no hablara, cuestión –la "niñeriada– que Medina acepta sin poder ocultar el goce que eso le producía –Fernando "tenía el maravilloso don de tranquilizarme en diez minutos"– (testimonio de Santiago Medina ante la Comisión de Investigación y Acusación, marzo 13 de 1996).

En cambio, salta a la luz pública la actitud contraria del Presidente, quien, enterado por el mismo Fiscal Valdivieso de que Medina decía tener información relevante, decidió negar de plano la petición de Medina de ser nombrado en un cargo diplomático. Si algo tenía para decir que lo dijera cuanto antes y en lugar que correspondía: la Fiscalía.

Es interesante observar cómo Botero, en su afán por demostrar ese "cargo", no tiene empacho en hacer quedar en ridículo a quien había sido su amigo y era ahora su aliado en los ataques contra el Presidente, Santiago Medina. En estrevista para la revista *Semana* que circuló el 1o. de abril de 1996, dice Botero que el gobierno, para "callar" a Medina, le ofreció nombrarlo embajador ante la FAO, uno de los cargos más apetecidos en la burocracia, pero el extesorero, hombre de alto mundo, lo rechazó porque no sabía qué era eso de la FAO ni que su sede es Roma, y lo que él quería era un cargo diplomático en Roma. ¿No es un episodio de opereta? Pero, por lo que se ha visto, que Botero pinte a sus amigos como ignorantes y torpes para lograr algún efecto propio, no es cuestión extraña.

Frente a esta fábula, Medina ha sostenido que la única oferta que le hicieron fue la embajada ante el gobierno griego, cuestión que el Presidente y su Canciller desmintieron. Entonces, otra vez: ¿quién dice la verdad, Botero o Medina?

2.8.3. *La terminación anticipada del período del Fiscal*

Según Fernando Botero, el Presidente y sus cercanos colaboradores urdieron estrategias para obtener de los altos tribunales (Corte Constitucional y Consejo de Estado) la declaración de que el período del Fiscal Alfonso Valdivieso debería terminar el 31 de marzo de 1996 y no en 1998. Esto para apartar a Valdivieso de la investigación que adelantaba de los supuestos hechos sucedidos en la campaña presidencial.

¿La prueba? Unos memorandos escritos por Botero, de su puño y letra, en los que asignaba tareas a Samper, a sus ministros y al entonces Director del DAS, entre ellas la de entrar en contacto con los magistrados de la Corte Constitucional y del Consejo de Estado para obtener la decisión buscada.

Como prueba, ese memorando de nada sirve. Es principio elemental que prueba de cargo fabricada por el acusador no tiene valor probatorio. Pero no es este asunto de técnica jurídica lo que por ahora me interesa controvertir, puesto que obran en el expediente decenas de testimonios que desvirtúan de manera categórica esa "conspiración". Veamos:

2.8.3.(a) Todos y cada uno de los Magistrados del Consejo de Estado y de la Corte Constitucional, incluidos aquellos que han dejado conocer su animadversión por el Presidente Samper o su gobierno, declararon de manera enfática que sobre ellos ninguna presión se hizo, siquiera levísima o remota, para inclinar su voto al momento de decidir por la permanencia o no del Fiscal. Ni el Jefe del Estado ni sus funcionarios ni persona alguna les insinuó la manera de votar.

2.8.3.(b) El entonces Ministro de Justicia y del Derecho, Dr. Néstor Humberto Martínez, en una muy clara y completa exposición ante la Comisión de Investigación y Acusación, acompañada de documentos fehacientes, demostró que la posición del gobierno ante los tribunales y ante la opinión había sido enfática y una sola: el Fiscal Valdivieso debía continuar hasta completar 4 años en su cargo en 1998.

Sorprende de este cargo que la Fiscalía lo hubiera acogido en su denuncia a sabiendas de que era totalmente inane puesto que el mismo Fiscal había declarado a todos los medios que cerraría las investigaciones y haría acusaciones contra los principales implicados en los procesos cobijados bajo el nombre genérico de 8.000, antes de terminar ese año de 1995. ¿Por qué y para qué un gobierno que estuviera en trance de entorpecer una investigación que terminaría en diciembre de 1995, haría esfuerzos por remover al Fiscal en marzo de 1996, cuando ya estarían producidos los efectos que presuntamente se querían evitar?

2.8.4. El entrabamiento a la lucha contra la droga

Acogió la Fiscalía en su denuncia las versiones de Botero según las cuales el Presidente Samper, en reciprocidad por los favores recibidos de los jefes del llamado Cartel de Cali, le habría obstaculizado a él (Botero) en sus enérgicos planes de lucha contra el tráfico de droga y en sus vehementes ímpetus en la búsqueda de los cabecillas para atraparlos y juzgarlos.

¿Cuál es la prueba? Las versiones de Botero, y el testimonio –futuro– del entonces Ministro de Justicia y del Derecho, Dr. Néstor Humberto Martínez Neira, a quien Botero señaló como testigo de la postura "blanda" de Samper frente al narcotráfico.

¿Qué se recogió sobre este punto en la investigación?

Pruebas dentro del proceso

2.8.4.(a). Testimonio del exministro MARTÍNEZ NEIRA

El exministro Martínez Neira quien, según Botero, confirmaría sus afirmaciones, declaró ante la Comisión de Investigación y Acusación de la H. Cámara de Representantes, el día 5 de marzo de 1996. Sobre el tema de este acápite, bajo la gravedad del juramento dijo:

a.1. Ante algunas preocupaciones transmitidas a él (Martínez) por varias personas que no consideraban suficientemente enérgica la política del gobierno en la lucha contra la droga, él (Martínez) habló con el Presidente de la República, quien las transmitió al Ministro de la Defensa, Fernando Botero;

a.2. Botero lo buscó (a Martínez) para explicarle que lo que pasaba era que "las operaciones que se estaban desarrollando (contra los Carteles) eran mucho más de inteligencia y que en todo caso los mismas deberían adelantarse con plena observancia de los derechos y las libertades ciudadanas";

a.3. Unas semanas más tarde, "el Presidente Samper decidió coordinar él personalmente los operativos, para lo cual empezaron a celebrarse los días lunes a las 9 de la noche en la sede del Palacio Presidencial, una reuniones que él bautizó de 'El Club', a las que asistían los precitados funcionarios que coordinaban las operaciones del Comando Especial Conjunto (el Ministro de la Defensa, el Fiscal General de la Nación, el Director de la Policía, el Comandante de las Fuerzas Militares, el Comandante del Ejército y el Director del DAS) y a las que empecé a asistir por instrucciones del Presidente";

a.4. Como pasaban los días y las operaciones contra los carteles no mostraban resultados, el Presidente decidió enviar a los asistentes a la reunión de El Club "un claro mensaje de 'interinidad". O había capturas o rodarían las cabezas como, en forma más gráfica, lo expresó el Presidente Samper en su indagatoria.

2.8.4.(b) Declaración del Comandante del Ejército, General HAROLD BEDOYA

En respuesta a cuestionario escrito, el Sr. Comandante General del Ejército, General Harold Bedoya Caicedo, declaró, ante la Comisión de Investigación y Acusación, de manera clara y enérgica, que nunca el Cuerpo Armado bajo su dirección tuvo entrabamiento alguno del Sr. Presidente en sus acciones contra la producción y tráfico de droga. Señaló que, al contrario, el apoyo del Primer Mandatario fue decidido y decisivo. Coincidió, además, con el exministro Martínez en cuanto a las reuniones de El Club.

2.8.4.(c) Declaración escrita del Director General de la Policía Nacional, General Rosso José Serrano

El Director General de la Policía Nacional, General Rosso José Serrano, declaró, también por escrito, ante la Comisión de Investigación y Acusación. Sus expresiones, igualmente nítidas, confirmaron lo dicho por el Presidente de la República en su indagatoria, y por los testigos antes citados, exministro Néstor Humberto Martínez y General Harold Bedoya. Coincidió también con el exministro Martínez en el mensaje de "interinidad" que el Presidente Samper había enviado a los asistentes al Club si no se producían resultados.

La coincidencia, Señores Representantes, en las versiones que rindieron bajo la gravedad del Juramento los altos funcionarios del Estado mencionados en los puntos anteriores, y la identidad de contenido en cuanto a lo expresado por el Presidente de la República sobre el tema, hacen plena prueba para demostrar que las afirmaciones del acusador Botero sobre la supuesta posición "blanda" del Jefe del Ejecutivo en su lucha contra la droga y, en especial, en la captura de los jefes de los carteles, son meras calumnias llenas de torcidas intenciones. Extraña de particular manera en este punto, que el Fiscal General de la Nación hubiera acogido en su demanda esos infundios habiendo sido él mismo, por sus altas funciones y por haber sido también él uno de los asistentes a las reuniones de El Club de los Lunes, testigo ático de las preocupaciones del Presidente por obtener resultados prontos y eficaces. Que no se diga que no tocaba al Fiscal evaluar esas afirmaciones de Botero. Tocárale o no, lo cierto es que él no podía sustraerse a su inmediata confrontación de la verdad dada su condición de testigo presencial y directo. Pero es que, además, en el escrito de denuncia afirmó que las pruebas que acompañaba como anexos habían sido sometidas a valoración de acuerdo con las reglas de la sana crítica. Entonces, ¿cómo explicar que un denunciante, a sabiendas de que lo que el supuesto testigo afirma es falso, utilice el testimonio para sustentar sobre él los cargos?

2.8.5. El traslado del presunto narcotraficante VÍCTOR PATIÑO FÓMEQUE

Conviene traer a cuento, en este capítulo del encubrimiento, lo sucedido con el traslado del presunto narcotraficante Víctor Patiño Fómeque, de la Penitenciaría Nacional de Palmira a la Carcel Modelo en Santafé de Bogotá, por cuanto deja al descubierto la verdad de quién encubría a quién y por qué.

2.8.5.(a). Los hechos:

a.1. El 28 de julio de 1995 el Sr. Santiago Medina, detenido por orden de la Fiscalía General de la Nación en la Cárcel Modelo de Bogotá, amplió la indagatoria que se le había recibido el día anterior. En esta ampliación cambió sus versiones anteriores y acusó ampliamente al entonces Ministro de Defensa, Fernando Botero Zea, quien había sido Director General de la Campaña SAMPER PRESIDENTE, de haberle ordenado hablar con los llamados jefes del Cartel de Cali para buscar de éstos aportes dinerarios para la campaña. Relató, además, cómo había cumplido la orden y sus resultados. Al Presidente Samper no lo involucró directamente en los hechos, aunque manifestó que había estado al tanto de lo sucedido. Mientras esto, pasaba, el principal acusado, Fernando Botero, se hallaba en el exterior cumpliendo misiones de su cargo.

a.2. El sábado siguiente, 29 de julio, en el Comando de la Fuerza Aérea se recibió la orden del Ministro de Defensa, recién llegado al país, para que se alistara de inmediato una aeronave que trasladara unos reclusos de Palmira a Bogotá. Y simultáneamente, el Director del Inpec, Coronel Norberto Peláez, fue llamado a su residencia por el mismo Ministro, en donde le ordenó trasladar a la Cárcel Modelo de Bogotá a Víctor Patiño Fómeque y Phanor Arizabaleta, presuntos narcotraficantes, detenidos en la Penitenciaría Nacional de Palmira. Explicó Botero al Coronel Peláez que esta decisión debía cumplirse de inmediato porque había recibido información de inteligencia según la cual esa misma noche los mencionados reclusos se fugarían de la Cárcel.

a.3. El Director del Inpec manifestó a Botero su extrañeza por la información de la fuga pero le advirtió que si el Ministro de Defensa tenía razones para creer en la existencia de ese plan, cumpliría la orden de traslado, mas no a la Cárcel Modelo sino a la Penitenciaría de la Picota porque aquélla no ofrecía las condiciones de seguridad que se requerían para personas de la peligrosidad de las nombradas. Le dijo, además, que él (Peláez) tenía la obligación de informar al Ministro de Justicia, su superior jerárquico, y al Fiscal General de la Nación.

a.4. El Ministro Botero respondió a lo primero que el traslado tenía que hacerse a la Modelo, no a la Picota, por cuanto en este lugar se hallaban detenidos los jefes del Cartel de Cali, quienes no tenían entendimiento con Patiño y Arizabaleta, por lo cual se produciría un encuentro de enemigos con imprevisibles consecuencias. Sobre lo segundo, expresó a Peláez que él (Botero), personalmente, avisaría tanto al Ministro de Justicia como al Fiscal General de la Nación. Le indicó, además, que debía desplazarse sin pérdida de tiempo a sus oficinas en el Inpec pues en cualquier momento le llegaría la confirmación de alistamiento de la aeronave que viajaría a Cali para transportar los reclusos y debía tener listo el personal de guardias penitenciarios que deberían cumplir la misión. Así lo hizo Peláez.

a.5. No obstante lo anterior, el Director del Inpec decidió comunicarse con el Ministro de Justicia, con tan mala fortuna que le resultó imposible hasta cerca de la medianoche, cuando ya estaba cumplida la orden de Botero y el avión de la Fuerza Aérea ordenado por el mismo Botero se desplazaba entre Cali y Bogotá con los reclusos a bordo.

a.6. Cuando por fin Peláez se comunicó con el Ministro de Justicia, quedó en evidencia que Martínez no había sido informado por Botero del traslado de los reclusos. Martínez Neira, disgustado y preocupado, decidió comunicarse con Botero, quien le expresó que no podía darle información por teléfono y se negó a recibir al Ministro de Justicia hasta el día siguiente. Martínez Neira, ante esto, llamó al Presidente Samper, quien le expresó que el Ministro de Defensa le había manifestado hacia la mitad de la tarde que daría la orden de trasladar unos reclusos por razones de seguridad, pero que no podía explicarle telefónicamente. Le dijo, además, que él (Samper) le había ordenado comunicarse previamente con Martínez Neira y con el Fiscal Valdivieso, lo que Botero se comprometió a hacer.

a.7. Al llegar esa noche el personal del Inpec a la penitenciaría de Palmira, se sorprendieron por encontrar al Sr. Víctor Patiño listo para el viaje, como si hubiera sido avisado, siendo así que de ese organismo no se habían dado informes previos. Así mismo se sorprendieron de que a la llegada a la Cárcel Modelo de Bogotá, Santiago Medina se encontraba esperándolo, a pesar de que ya era, alta, la medianoche. El Director del Inpec comunicó estos hechos al Ministro de Justicia, el día lunes siguiente, 1o. de agosto, quien de inmediato se trasladó al Palacio Presidencial para transmitir al Presidente su extrañeza. El Presidente le ordenó trasladar a Patiño y Arizabaleta en forma inmediata a la Penitenciaría de la Picota; así se hizo.

a.8. Los medios de comunicación, al narrar los anteriores hechos, señalaron que los rumores en el medio penitenciario indicaban que el Sr. Patiño había sido trasladado a Bogotá, específicamente a la Cárcel Modelo, para que convenciera a Medina de que no debía hablar sobre los hechos de la campaña, pero que había llegado demasiado tarde por cuanto Medina ya había ampliado su indagatoria el jueves anterior.

a.9. En declaraciones rendidas ante la Comisión de Investigación y Acusación, Santiago Medina confirmó que había sido avisado del traslado de Patiño Fómeque y que se le había dicho que éste (Patiño) llegaría para hacerle compañía.

a.10. Fernando Botero ha sostenido, a lo largo de sus declaraciones, que él tenía permanente comunicación con Santiago Medina y, por tanto, sabía que si se le dificultaba su situación con la Fiscalía, él (Medina) contaría lo que sabía de la época de la campaña.

Los hechos anteriores fueron narrados en forma absolutamente coincidente por los Señores Ministro de Justicia y Director del Inpec en la época, Doctor Néstor Humberto Martínez y Coronel Norberto Peláez, respectivamente, y confirmados por las órdenes de alistamiento y desplazamiento de aeronaves recibidas en el Comando de la Fuerza Aérea Colombiana. Además, nunca fue confirmada la existencia de un plan de fuga de la Penitenciaría de Palmira. El Sr. Presidente de la República, por su parte, confirmó en su indagatoria lo expresado por el Dr. Martínez Neira en cuanto a los informes parciales que le había transmitido Botero el día del traslado.

2.8.5.(b) La interpretación de los hechos:

De lo anteriormente descrito se deduce:

b.1. El entonces Ministro de Defensa, Fernando Botero Zea, tomó por sí y ante sí la decisión de trasladar a los presuntos narcotraficantes Víctor Patiño Fómeque y Phanor Arizabaleta, de la Penitenciaría de Palmira a la Cárcel Nacional Modelo en Santafé de Bogotá. Para ello ordenó la utilización de un bien del Estado, un avión de la Fuerza Aérea.

b.2. El motivo real para ordenar este traslado no ha sido identificado a plenitud. Sin embargo, es evidente que no era cierto el plan de fuga que el entonces Ministro Botero esgrimió como justificación para ordenarlo con carácter perentorio. En cambio, por lo que Santiago Medina declaró, sí tenía relación con su presencia (de Medina) en la Cárcel Modelo.

b.3. La única explicación posible, por tanto, es que, como lo señalaron en su momento los medios de comunicación, Botero intentaba colocar cerca de Medina a alguien que pudiera disuadirlo de su voluntad de declarar ante la Fiscalía, dado que, como el mismo Botero lo ha dicho, estaba seguro de que si a Medina se le complicaba su situación judicial, contaría los hechos sucedidos durante la campaña. Con este antecedente, es apenas explicable que cuando Botero llega del exterior el sábado 29 de junio y se entera por primera vez de la detención de Medina, piense de inmediato que éste (Medina) va a hablar y, entonces, en un acto de desespero, como debe evidentemente calificarse, abusó de su poder como Ministro de la Defensa para buscar la manera de silenciar a Medina.

b.4. La pregunta más obvia frente a lo anterior es: ¿Por qué Botero ocultó al Presidente de la República que ordenaría trasladar a Patiño? Si, como lo ha repetido Botero en los últimos meses, el autor de los supuestos hechos sucedidos durante la campaña había sido Ernesto Samper, en tanto que él (Botero) ninguna participación había tenido, y se trataba de evitar la delación de Medina, ¿por qué ocultar sus planes en relación con Patiño y Medina a quien, presuntamente, tendría mayor interés en el silencio de Medina?

b.5. No hay duda de que si alguien tenía algo que necesitaba encubrir, ese alguien era Botero. Pero llegó tarde. Cuando Patiño arribó a la Cárcel Modelo, el día anterior Medina había hablado ante la Fiscalía y había comprometido de manera abierta a Botero como autor de unos hechos de los que él (Medina) se confesaba también culpable: solicitar a los jefes del Cartel de Cali, a nombre de la Campaña Samper Presidente, dineros en grandes volúmenes y recibirlos.

2.9. Manejo financiero de la campaña electoral y pruebas periciales sobre los libros de contabilidad

Señala el Fiscal en su denuncia otros hechos presuntamente ilícitos en cuya comisión habría tenido responsabilidad el Dr. Ernesto Samper Pizano, a saber: a) la alteración de la contabilidad de la Asociación Colombia Moderna con el fin de utilizarla como prueba ante el Consejo Nacional Electoral, alteración que habría consistido, por un lado, en falsear los asientos contables y, por otro, en no consignar todas las partidas de ingresos y gastos en los que incurrió la Asociación, y b) la defraudación de dineros públicos por haber pedido la reposición de gastos que autoriza la ley a pesar de haber pasado el límite de gastos señalado por el Consejo Nacional Electoral, siendo así que la ley permite dicha reposición únicamente a los candidatos que no hubieran superado el límite.

En el capítulo correspondiente se hará el examen jurídico del tema relacionado con los límites o topes a los gastos en las campañas electorales y, también, del tema de la reposición de gastos. En este capítulo, que corresponde a la relación de pruebas que se aportaron en el expediente, conviene decir lo siguiente:

2.9.1. La responsabilidad por los aspectos de tesorería y financiero de la Campaña

El Dr. ERNESTO SAMPER PIZANO no participó en el manejo administrativo ni financiero de la Campaña Presidencial, precisamente porque por recomendación de expertos norteamericanos, seleccionados por el doctor Fernando Botero, su organización y funcionamiento se diseñó sobre la base de que el Candidato se mantendría por completo al margen de la misma, dedicado con exclusividad a la confección y divulgación de su programa de Gobierno y a la exposición de sus ideas sobre el mejor estar del pueblo colombiano.

Esto fue producto del diseño mismo de la organización de la Campaña que –según el propio doctor Botero, su principal responsable–, se trataría de la "empresa electoral más moderna y eficiente en la historia de Colombia", planificada con fundamento en lo que él mismo denominó el "Decálogo de Samper 94", que obra en el expediente, cuya transcripción reza:

1) Una organización empresarial que estuviera lista antes de que el Candidato llegara a Colombia en el año de 1993.

2) La parte administrativa y financiera de dicha organización funcionaría en forma absolutamente independiente del Candidato quien, según el doctor Botero y los expertos en proyección electoral que lo asesoraban, debía marginarse por completo de este tipo de actividades.

3) Se nombraría un Director General de la Campaña, responsable de la totalidad de las gestiones y único facultado para autorizar las acciones de las diversas unidades de trabajo, incluida la de manejo político, al estilo norteamericano.

4) En este esquema, los expertos asesores asumirían un papel preponderante bajo la coordinación del Director General.

5) Para garantizar la claridad de las operaciones financieras, la Campaña estaría vigilada por una auditoría externa.

6) En principio, la organización tendría solamente dos sedes: una para los asuntos generales y otra independiente para los relacionados con el programa y las ideas políticas. La primera, conducida por el Director General, el doctor Fernando Botero, estaría compuesta por las secciones de Administración y Finanzas, Tesorería y Caja, Comunicaciones, Imagen, Giras y Transporte, Estrategia y Publicidad y Operativa. La otra, subordinada al Candidato y dirigida por un coordinador de programa político y de gobierno, el doctor Guillermo Perry Rubio.

7) Se designaría un jefe de relaciones públicas, cargo para cuyo desempeño el propio Botero candidatizó al señor Fernando Corredor, quien despacharía desde su propia oficina.

8) Habría un Jefe Administrativo y Financiero designado por el Director General con quien trabajaría directamente, cargo para el cual el doctor Botero postuló al doctor Enrique Peñalosa Camargo.

9) Según frase del doctor Botero, la premisa estratégica sería que "el candidato es el producto y la campaña la empresa encargada de venderlo, sin que el candidato se meta en los asuntos de su venta".

10) El Director General contaría con total autonomía e independencia, para que el Candidato se pudiera dedicar exclusivamente a la labor de programa y proselitismo.

Sobre este esquema, así planteado, debo decir que el Candidato lo aceptó en términos globales, pero por no considerar conveniente que el Director General abarcara también los aspectos políticos de la Campaña, expresamente se determinó que debía modificarse, en el sentido de separar la parte de Administración y Finanzas, Tesorería y Caja, Comunicaciones, Imagen, Giras y Transporte, Estrategia y Publicidad y Operativa, de la parte de Política y Proselitismo, para cuyo desempeño no podía considerarse persona distinta del doctor Horacio Serpa Uribe. Finalmente el doctor Botero aceptó esta modificación, pero insistiendo en que esta sección debía denominarse Jefatura de Debate, con el fin de dejar claro que únicamente existía un Director General, a cuyo cargo estaría una única estructura administrativa y de tesorería, que serviría de soporte a los frentes de Campaña, como en efecto sucedió.

Llegado el momento de seleccionar la persona que dirigiera la Sección de Administración y Finanzas, se acordó el nombre del doctor Enrique Peñalosa Camargo, quien en principio aceptó, pero, por compromisos profesionales, posteriormente declinó el ofrecimiento. Entonces se postuló al doctor Alberto Montoya Puyana, quien manifestó su deseo de permanecer en el Senado, ante lo cual el doctor Botero decidió asumir él mismo ese cargo y nombrar a alguien que se desempeñara como su asistente directo.

Para Tesorería y Caja se encargó a la doctora Mónica de Greiff, quien estuvo al frente de esa actividad, asesorada por un comité, hasta el mes de febrero de 1994. Porque por sus compromisos profesionales, ella no podía dedicarse de tiempo completo a la Campaña y los requerimientos del Director de la misma eran muy abundantes, este último presentó como candidato de su confianza al doctor Santiago Medina, aduciendo que tenía experiencia por haberse desempeñado en campañas anteriores como la del nuevo liberalismo y la última presidencial. Agregó que con él podía asumir el recaudo y la distribución de los recursos.

Se sugirió al doctor Botero que asumiera él la Tesorería y, aunque no disponía del tiempo necesario, dijo que respondería por ello, siempre que pudiera contar con la colaboración de Medina. Ante esta insistencia, se determinó que el doctor Medina, aunque no sería Tesorero, formaría parte de un grupo financiero.

El doctor Medina, con la anuencia del Director General, asumió de hecho todos los manejos de tesorería.

En síntesis, el manejo financiero fue adelantado de manera autónoma por las personas ya señaladas, tal como lo confirman suficientemente los testigos que han expuesto sobre el particular.

Pruebas dentro del proceso

Y se establecieron controles para tal fin:

a. Como es de conocimiento público, los recursos financieros de la Campaña se manejaron a través de la Asociación Colombia Moderna, entidad sin ánimo de lucro, cuyo representante legal fue desde su fundación el doctor Fernando Botero Zea.

b. Teniendo en cuenta el diseño descrito anteriormente, la administración de estos recursos corrió a cargo de los doctores Fernando Botero Zea (Director General de la Campaña y Representante Legal de dicha Asociación) y Santiago Medina Serna.

Como es propio de una organización empresarial tan cuidadosamente diseñada, además de una clara y precisa separación de funciones, las operaciones de control fueron independientes y se contrataron con personas jurídicas especializadas: Organización Iberoamericana de Auditoría Limitada (IBERAUDIT LTDA), que se encargó del manejo contable, y BDO Audit AGE, Contadores Públicos - Consultores, responsables de la revisoría fiscal, tal como consta en el expediente.

Además de lo anterior –que corresponde al mandato de disposiciones ordinarias sobre la materia–, por exigencia y disposición del Candidato se implantaron, por primera vez en Colombia y frente a una campaña electoral, dos mecanismos de control: uno de carácter instrumental y otro de naturaleza subjetiva. A este último -revestido con facultades de veto, de verdad sabida y buena fe guardada y de instrucción-, que debía estar a cargo de un magistrado en moral y en equidad, se denominó Fiscal Ético. El primero estaría constituido por un conjunto normativo referido a conductas que "escaparan" a lo penal o disciplinario –de conocimiento de la jurisdicción ordinaria–, pero que afectaran al concierto público en aspectos éticos y morales. Para su redacción se contrató a expertos en la materia. A este estatuto se denominó Código Ético.

En resumen, se dispusieron los instrumentos de control ordinarios, exigencia de la ley y, lo más importante, se crearon controles éticos y morales.

Una vez diseñados, organizados y puestos en funcionamiento, estos mecanismos quedaron bajo la responsabilidad de las personas que fueron designadas para su ejecución. Su conducta es materia de análisis por diversas autoridades.

Jamás se recibieron donaciones por parte del candidato, salvo las que se encuentran demostradas, pues para tal fin no se encubria su participación, cuestión de suyo loable.

2.9.2. *La responsabilidad de la teneduría de libros y presentación de informes*

Con el mismo rigor empresarial con el que se diseñó y organizó la Campaña, la Asociación Colombia Moderna –que fue constituida por iniciativa de Fernando Botero– se encargó de manejar los recursos del debate electoral. A esta entidad ingresaban todos los fondos, por su intermedio se cubrían todos los gastos, y a ella se vincularon laboralmente los funcionarios.

Personalmente no tuvo el Candidato ninguna participación en la creación, organización o desarrollo de dicha Asociación.

La vinculación entre la Asociación Colombia Moderna y la Campaña Presidencial consistió en que tanto la una como la otra estuvieron bajo la dirección del politólogo Fernando Botero.

2.9.3. *La presentación de cuentas*

Al doctor Juan Manuel Avella Palacio se le encomendó la presentación de las cuentas de la Campaña ante el Consejo Nacional Electoral, porque el representante legal de la Asociación Colombia Moderna era el doctor Fernando Botero Zea.

2.9.4. *El informe contable, anexo 9 de la denuncia*

Aunque ya me referí al anexo 9 de la denuncia, contentivo de un informe contable, no dictamen pericial, como el denunciante lo llama, en esa oportunidad analicé solamente los aspectos sobresalientes de la cuenta de gastos para resaltar la inconsistencia técnica que en varias oportunidades se sucedió. En este capítulo es mi propósito hacer algunas observaciones más detalladas sobre los diversos aspectos del informe, no sin anunciar que –como material de estudio no con carácter probatorio– anexo a este memorial el escrito que me dirigió el Contador Público Jaime Hernández, Presidente del Colegio Nacional de Contadores, sobre el tema. Su contenido, redactado en forma didáctica, permite ilustrar el análisis del anexo.

El informe que constituye el anexo fue preparado, como ya lo dije, por dos (2) profesionales universitarios grado II de la Fiscalía, cuya identidad el Sr. Fiscal prefirió ocultar. Se refiere a los aspectos contables de la Asociación Colombia Moderna, entidad independiente y autónoma, con objeto propio y definido, a la cual se encomendó el manejo financiero de los recursos de la Campaña "Samper-Presidente".

Aparte de lo ya demostrado, el análisis de este Anexo 9 permite establecer que se trata de un concepto carente del rigor técnico y científico indispensable en este tipo de trabajos, cuyas conclusiones adolecen de la razonabilidad requerida por un peritazgo contable, con arreglo a las disposiciones legales y a las normas universalmente aceptadas sobre esta materia.

2.9.4.(a) Inclusión indebida de partidas:

Para establecer los ingresos y los egresos correspondientes a la promoción de la campaña presidencial del Doctor SAMPER PIZANO y de su programa de gobierno, resulta inexplicable que el informe haya adicionado no sólo los de la propia Asociación, en desarrollo de su objeto, sino, además, los referentes a la consulta popular del liberalismo, instrumento interno de este Partido para seleccionar su candidato. Así las cosas, durante el período comprendido entre julio de 1993, fecha de constitución de la referida Asociación, y el 20 de marzo de 1994, cuando el Señor Presidente SAMPER se convirtió en el candidato único de dicho Partido, se recibieron ingresos y se realizaron gastos que no pueden ser tenidos en cuenta dentro de los estados financieros de la Campaña Presidencial. En efecto, se trata de situaciones de hecho diferentes, circunstancia que imposibilita sumar partidas que no tienen relación causa–efecto.

Con arreglo a la información disponible en el Anexo 9, en este lapso de la "Consulta Interna del Liberalismo", se recaudaron $1.355.100.000, se efectuaron desembolsos por $1.583.983.127, al tiempo que se realizaron pagos por terceros donantes de $311.000.000, partidas que, por razones obvias, no debieron ser tenidas en cuenta por los expertos, ya que condujeron a "inflar" en forma muy considerable las cifras contenidas en su concepto. (Anexo 9, Cuadro No. 1).

2.9.4. (b). Conceptos que no tienen el carácter de costos ni de gastos

Aunque las disposiciones de orden electoral se refieren impropiamente a "sumas máximas que es posible 'invertir'", desde el punto de vista de la técnica contable, este término debe entenderse como los costos y gastos en los cuales se incurrió con ocasión de las campañas electorales, sin tener en cuenta aquellos egresos que no tienen este carácter.

Conforme a lo expuesto, para evitar contabilizaciones dobles y registros impropios, que desvirtúan tanto los resultados numéricos como sus conclusiones, el "dictamen" debió excluir conceptos y cifras como los que se señalan a continuación, cuyo valor alcanza la suma de $ 4.955.431.973.

– Préstamos personales (Cfr. Cuadro No. 16) $ 11.535.000

– Constitución de inversiones (Cfr. C16)   688.426.270

– Traslado de fondos entre bancos (Cfr. C16)   1.730.859.638
– Cancelación obligaciones financieras (Cfr. C12)   1.795.951.200
– Pago de Pasivos por retención en la fuente   165.210.000
– Cancelación obligaciones financieras (Cfr. C13)   463.449.865
– Cubrimiento Crédito Bancoquia   100.000.000
                                               _____
TOTAL $ 4.955.431.973

2.9.4. (c). Partidas incluidas doblemente

Dentro del concepto de "Ingresos no incluidos en la Contabilidad Oficial" aparecen partidas que se registran dos veces, primero en el rubro de "Donaciones" y nuevamente en el de "Pagos de Terceros" (Cfr. Cuadro No. 01, pág. 18)

2.9.4. (d). Partidas supuestamente no contabilizadas en forma oficial, cuando en realidad sí lo fueron

Con la misma falta de rigor y veracidad, el informe de los peritos contiene un anexo donde, bajo el título de "Recaudos en efectivo y cheques no contabilizados oficialmente", se presentan sumas supuestamente recibidas por fuera de los registros contables, cuando las mismas aparecen efectiva ya adecuadamente incorporadas como ingresos por donaciones en la contabilidad de la Asociación Colombia Moderna, según los mismos expertos lo acreditan en el Anexo No. 1, Pág. 046.

2.9.4. (e). Diferencias entre los guarismos del Informe, de sus cuadros y de sus propios anexos.

El Informe Contable materia de análisis contiene un Cuadro Resumen identificado con el No. 1, llamado "Clasificación de Ingresos y Gastos", cuyas partidas globales aparecen discriminadas en dieciséis (16) cuadros adicionales y en cinco (5) anexos. Sería apenas natural que entre unos y otros existiera completa armonía, ya que los guarismos parciales tomados de estos últimos, alimentan los totales del primero. Sin embargo, ello no es así, dada la multiplicidad de errores aritméticos, las inconsistencias y las partidas doblemente tenidas en cuenta, como pasa a demostrarse con algunos ejemplos:

• En la página No. 9, los "peritos" establecen que la Asociación Colombia Moderna canceló $ 1.139.398.064, mediante notas bancarias descontadas de los valores depositados. No obstante, en el cuadro No. 15, pág, 41, bajo el título de "Origen y Aplicación de Recursos", figura la partida de $463.449.865, como "Cancelación de Obligaciones Financieras", sin que se explique en parte alguna la importante diferencia de $675.948.199.

• Según el Cuadro No. 1, el exceso de los egresos sobre los ingresos es de $3.614.532.751, mientras que en el Cuadro No. 15, pág.41, denominado "Origen y Aplicación de Recursos", el mismo exceso es de $3.187.845.339. De nuevo se presenta una diferencia de $426.687.412, sin soporte o explicación.

• Los ingresos que se consignan como "contabilizados oficialmente" en el Cuadro No. 1, pág. 18, ascienden a $6.286.803.450. No obstante, en el total de ingresos oficiales del Anexo No. 01, pág. 58, son de $6.641.961.654. Hay entonces una diferencia de $355.148.201.

En el Cuadro No. 08, pág. 29, se presentan como "sumas pagadas directamente a la firma Radiodifusores Unidos S.A." $650.753.440. No obstante, respecto del mismo concepto, en el Cuadro No. 5, pág. 25, se señalan partidas por valor de $320.141.440. La diferencia en este caso alcanza la suma de $330.612.000.

• Al comparar el Cuadro No. 16, pág. 42, "Egresos", con el Anexo No. 02, pág. 90, "Comprobantes de Egreso", aparece una diferencia de $54.688.565.

• La cifra de ingresos presentada en la pág. 06 de $8.394.021.936, difiere de la consignada en su fuente, el Cuadro No. 01, pág. 18, "Clasificación de Ingresos y Gastos", por $8.401.370.190. Jamás se explica esta nueva inconsistencia de $7.348.254.

• En el cuadro que se anexa se muestran otras diferencias encontradas al verificar algunos de los conceptos de gasto del Cuadro No. 16, pág. 42, "Egresos", contra el Anexo No. 02, págs. 59 a 90, " Comprobantes de Egreso".

d.6. Duplicación del valor de los anticipos legalizados por las tesorerías regionales

Tal como puede apreciarse en el cuadro No. 15, Fl. 41 del Anexo No. 9, los expertos duplican el monto de los gastos legalizados por las tesorerías regionales de $937.361.801, por cuanto esta partida se encuentra contabilizada dentro de los gastos de funcionamiento de $4.922.794.832 relacionados en el cuadro No. 16, y nuevamente se involucra dentro del total de los giros efectuados a tales tesorerías por $2.131.635.252.

2.9.4. (f). Comentarios Adicionales:

La aseveración de los funcionarios de la Fiscalía sobre la supuesta existencia de una doble contabilidad carece de toda veracidad, por cuanto la Asociación Colombia Moderna organizó y llevó su contabilidad de acuerdo con las normas legales que le son aplicables, según su naturaleza jurídica de entidad sin ánimo de lucro, consagradas en el Decreto 2649 de 1993 (libros oficiales debidamente inscritos, comprobantes, cuentas bancarias, registros...).

El hecho de que el señor Medina haya exhibido información de carpetas y listados de su uso personal no significa que la Asociación llevara otra contabilidad, como se pretende hacer creer, por cuanto unos documentos aislados del Tesorero, si bien pueden comprometer su responsabilidad personal por falta de reporte oficial a la empresa encargada de la contabilidad o al revisor fiscal, NO configuran un sistema contable.

Resulta inadmisible que los "expertos" hayan aceptado como ciertas algunas partidas –que fueron incluidas por ellos en su Informe como "Ingresos de la Asociación no registrados contablemente"–, sin haber concluido la investigación que ellos mismos emprendieron para establecer la realidad. Es el caso de los cheques respecto de los cuales se conoce su número, el banco girado y el número de la cuenta corriente, pero se desconocen el girador, el beneficiario o ambos.

Algunos aspectos observados por los "expertos" y calificados por ellos con el carácter de debilidades de control interno, tales como saltos en la numeración consecutiva, omisión de detalles en los comprobantes de ingreso o falta de algunos soportes, son circunstancias que por sí mismas ciertamente no comprometen la razonabilidad de los estados financieros, y, por lo tanto, no deben ser presentados con este alcance. Es el caso de un error en seleccionar los comprobantes de egreso con la numeración consecutiva respecto del último, pues pasan del 550 al 600. Esta equivocación resulta irrelevante si se tiene en cuenta que, al verificar la secuencia de los respectivos cheques, se establece fehacientemente que los mismos sí conservan la numeración consecutiva.

Las observaciones que los "expertos" consignan en las páginas 013 y 014 de su "Informe Contable", demuestran que, quizá por la premura de tiempo en sustentar la denuncia del Fiscal, no se agotó el proceso de comprobación y soporte que permitiera determinar las operaciones financieras registradas como préstamos del Señor Fernando Botero a la Asociación Colombia Moderna (Cuadro No. 7, pág. 28), lo mismo que los cheques de gerencia, cuyos compradores supuestamente se desconocen y carecen de los respectivos soportes. Resulta que los funcionarios de la Fiscalía, al mismo tiempo que reconocen la necesidad de profundizar la investigación de estas partidas, no vacilan en incluirlas para determinar un supuesto exceso de los gastos frente a los ingresos, sin llevar a cabo estudio o examen posterior de naturaleza alguna.

Pruebas dentro del proceso

El "Informe Contable" sostiene que la Asociación Colombia Moderna incurrió en supuestas irregularidades por sucesivas anulaciones de folios en los registros contables. Resulta que esta circunstancia no sólo no comporta necesariamente irregularidad alguna, ya que la propia ley prevé la posibilidad de efectuar enmiendas o anulaciones cuando ello resulta necesario. Posibles errores únicamente pueden constituir una falta, cuando los mismos afectan los resultados económicos.

Las respuestas que los "expertos" dan a los interrogantes A1 y A2 del cuestionario, pág. 012, ponen de presente no sólo su falta de información sino lo precario de su examen, pues estos funcionarios internos de la Fiscalía asumen que la Tesorería de la Asociación Colombia Moderna estuvo siempre a cargo del Señor Santiago Medina, lo cual evidentemente no es cierto.

Las conversiones que el "Informe Contable" contiene respecto de partidas en moneda extranjera no corresponden a tasas oficiales de cambio debidamente certificadas, ni contienen la indicación de fechas y fuentes, circunstancia que resta también seriedad y solvencia técnica a su examen.

2.9.5. La prueba de la intervención de Samper en la decisión de violar los topes

La denuncia contra el Sr. Presidente parte de la base de que se violaron los topes electorales porque: a) algunos testimonios así lo dicen (Botero, Medina, Juan Manuel Avella), y b) el dictamen pericial así lo indica, puesto que el Consejo Nacional Electoral señaló como límite 4.000 millones y, según el informe contable que constituye el anexo 9 de la denuncia, la Asociación Colombia Moderna gastó en la campaña de Samper una cifra superior a los 14.000 millones.

Supuesto lo anterior, el denunciante atribuye responsabilidad a Samper porque, según Fernando Botero, Samper, en las reuniones del llamado Comité de Agenda, habría dado la orden de violar los topes. Y atribuye responsabilidad a Samper en la alteración de la contabilidad por cuanto la orden de violar los topes llevaba pareja la de alterar la contabilidad, puesto que si se mostraba en los libros contables la realidad del gasto no se obtendría la reposición.

A lo anterior debe decirse:

2.9.5.(a) No hay en todo el expediente ninguna prueba que corrobore lo dicho por Botero en cuanto a la supuesta orden que habría impartido Samper en el Comité de Agenda para que se violaran los topes. Al contrario, todos los miembros del Comité que han declarado, Dres. Humberto de la Calle, Pedro Gómez Barrero, Horacio Serpa, Rodrigo Pardo y Juan Manuel

Turbay, han coincidido en forma plena que en dicho Comité jamás se trató asunto relacionado con las finanzas, y específicamente, el tema de los topes nunca fue analizado ni para bien ni para mal.

2.9.5.(b). Tampoco hay en el expediente prueba de cualquier naturaleza, testimonio o documento, en la que aparezca Samper dando órdenes para desconocer los topes. Cuanta prueba obra en este proceso indica que es cierto que en algún momento, al iniciarse la 2a. vuelta, algunos directivos de la Campaña, incluido el Candidato, coincidieron en afirmar que con el tope fijado por el Consejo Electoral (800 millones), sería imposible adelantar la campaña. Por eso se decidió intervenir ante el Consejo para que el tope fuera eliminado o aumentado sustancialmente, dado que por tratarse de un período tan corto la mayoría de la actividad proselitista sería indispensable hacerla a través de los medios masivos de comunicación, cuyo costo es muy alto y por ser la 1a. vez que se haría una 2a. vuelta, no había manera de hacer estimativos con algún margen de realidad.

2.9.5.(d). No hay, menos puede haber, en el expediente, prueba alguna que indique autoría de Samper en la supuesta alteración de la contabilidad. Al contrario, tanto el Sr. Juan Manuel Avella, Director Administrativo de la Campaña, como las personas encargadas directamente de llevar la contabilidad, cuyos testimonios aparecen atrás, declararon en forma terminante que el Candidato no intervino en momento alguno en dicha labor, no impartió instrucciones, no sugirió y menos ordenó. La organización de la campaña separaba totalmente la actividad de la parte administrativa con la propia del candidato y, aun si no hubiera sido así, lo cierto es que no intervino.

2.9.5.(e). Está plenamente demostrado en el expediente, que el hoy Presidente, Ernesto Samper, no intervino en la solicitud de la reposición de fondos ante el Consejo Electoral. Dicha reposición fue solicitada por el Dr. Pedro Gómez Barrero, en nombre del Partido Liberal, una vez que la Asociación, por intermedio de los doctores Botero y Avella, le informara (a Gómez Barrero) que había rendido al Consejo las cuentas de la campaña.

2.9.5.(f). Si todas las pruebas apuntan a demostrar que Ernesto Samper no dio órdenes en cuanto a los topes, no intervino de manera directa o indirecta en la contabilidad, no presentó informes al Consejo Electoral ni solicitó la reposición de gastos, los cargos de la denuncia no pueden imputársele ni aun en el supuesto de que los hechos sí hubieran sucedido porque, en este evento, la autoría no podría ser atribuida a Samper.

2.10. Evaluación de la prueba

He relacionado hasta aquí los principales hechos contenidos en el expediente abierto al Sr. Presidente de la República y las pruebas que obran, recogidas bien por la Comisión de Investigación y Acusación, bien por otras autoridades judiciales y trasladadas luego a la Comisión. Es lo pertinente, ahora, hacer la evaluación jurídica de la prueba, con base en los principios universales de valoración y crítica:

De conformidad con el análisis integral de las distintas diligencias realizadas ante la Cámara de Representantes, la Fiscalía General de la Nación y el Consejo Nacional Electoral, se concluye que el Dr. Ernesto Samper Pizano no es responsable de los cargos que se le imputan, su ajenidad a los hechos es evidente.

De la manera como se sucedieron los hechos se infiere que los responsables, en cuanto al supuesto recibo de dineros de origen desconocido, serían los doctores Fernando Botero Zea y Santiago Medina; y, en cuanto a los otros cargos, serían personas totalmente diferentes al entonces Candidato, pues serían quienes definieron los gastos, llevaron la contabilidad, presentaron los informes y solicitaron la reposición. Analicemos los distintos aspectos:

2.10.1. La campaña política "Samper Presidente" estuvo completamente organizada, dirigida y manejada por el doctor Fernando Botero. Del organigrama descrito por el mismo Botero y corroborado por las declaraciones de Santiago Medina, Juan Manuel Avella y el propio Dr. Ernesto Samper, resulta que la dirección financiera, administrativa, ejecutiva y de publicidad estaba a cargo de Fernando Botero y la parte ideológica y política estaba en poder directamente del candidato con el apoyo del Dr. Horacio Serpa.

Botero formaba parte del Comité de Agenda, era el director financiero de la campaña, dirigía la parte administrativa de la sede, ordenaba gastos, planteaba propuestas al candidato en relación con su imagen, ordenaba las pautas de publicidad de la campaña a partir del diseño que se elaboraba bajo la dirección del Dr. Rodrigo Pardo, y organizaba seminarios. Por otra parte, Botero centralizó el manejo de los recursos financieros a un punto tal que, como él mismo lo sostiene, se opuso a la descentralización financiera por regiones, trasladó recursos al exterior, impuso el personal de confianza, utilizó este personal para hacer girar a su nombre cheques que él (Botero) no deseaba que aparecieran en la contabilidad, etc. Simplemente con estas funciones a su cargo, que aparecen claramente definidas en el proceso, se puede establecer cómo Fernando Botero Zea era el eje central del desarrollo administrativo, financiero y ejecutivo de la campaña "Samper Presidente". Botero centralizó todo aquello que escapaba a la atención del candidato, pues éste debía cumplir con una agenda política apretada y de mucha dedicación.

133

Como él definía los nombramientos de los colaboradores directos de la campaña, llevó a Santiago Medina a la tesorería y a Juan Manuel Avella a la dirección administrativa, personas que, como se ha demostrado en el proceso, obedecían solamente sus órdenes. En las declaraciones de éstos se nota claramente el poder que Botero ejercía sobre ellos y la sumisión de éstos a él.

Al comienzo de la campaña la tesorera era la Dra. Mónica de Greiff pero como, según lo sostenía Botero, la Dra. De Greiff tenía muy poca disponibilidad de tiempo para manejar lo concerniente a la tesorería de la campaña, Botero instó al Dr. Samper a retirarla de la tesorería y logró, pese a algunas reticencias del candidato, que fuera encargado temporalmente Santiago Medina, para que prestara apoyo en las funciones de tesorería, encargo que luego se transformó en definitivo. De las declaraciones de Botero se desprende que fue él quien llevó a la sede a Medina, a pesar de la advertencia que algunos gaviristas hubieran hecho.

En cuanto a Juan Manuel Avella, también se ha demostrado que fue llevado a la campaña sin haber tenido ninguna experiencia en el manejo contable, cuestión que Botero conocía perfectamente, a pesar de lo cual le insistió en trabajar como su colaborador con la disculpa de que él (Botero) le indicaría en forma precisa, en cada momento, cómo actuar. Así que quedó bajo las órdenes y orientaciones de Botero para el manejo de los libros de contabilidad y dineros de caja menor. De esta manera podía tener más dominio y poder sobre el manejo financiero de la campaña. Juan Manuel Avella era un simple "cumplidor" de las acciones y deseos de Botero y Medina. Por ejemplo, en relación con la cuenta "préstamo del Dr. Botero a la Campaña", Avella, sin cuestionarse el préstamo en sí, abrió esta cuenta por órdenes de Botero para realizarle abonos periódicos. Avella en las diligencias insiste en su subordinación y el mismo Botero sostuvo expresamente que asume la responsabilidad por los hechos en que hubiera podido incurrir Avella, en vez de inculparlo.

Todo este manejo personalizado y centralizado de la campaña en cabeza de Fernando Botero resulta sumamente interesante para deducir sus ambiciones de poder y, por qué no decirlo, sus aspiraciones presidenciales. Esto es corroborado por el comportamiento político y protagónico que ha asumido desde el lugar de reclusión: estrategias políticas para tumbar al Presidente sin el sometimiento a un justo proceso, la columna proselitista que ha venido publicando, etc. Fernando Botero no sólo estaba trabajando en la campaña presidencial de Ernesto Samper sino también en su propia campaña; de allí su liderazgo en el manejo del candidato, en el manejo administrativo, la centralización y la dirección, en su cabeza, de lo financiero. A este respecto es importante repasar el texto del artículo escrito por Botero para la revista *Semana* que Botero adjuntó a su indagatoria (página 101 - Indagatoria de febrero 5 de 1996).

2.10.2. De las distintas diligencias de indagatoria y en particular de las declaraciones de los choferes de Santiago Medina y Édgar Hernández se releva la relación de amistad entre Medina y la Sra. Elizabeth Montoya de Sarria, Alberto Giraldo, Patiño Fomeque y otros implicados por posibles nexos con el narcotráfico. Las relaciones de amistad con estas personas han tenido origen, algunas por razones políticas y otras por su actividad mercantil con el "Anticuario Medina" de su propiedad. Eso sin hacer referencia a aquellos vínculos que se crean entre el propietario de un establecimiento de comercio y aquel buen cliente que por su capacidad económica está dispuesto a adquirir mercancías de gran valor. En todo caso, del análisis conjunto de los testimonios resulta evidente que Medina, desde antes de la campaña "Samper Presidente", tenía nexos con personas involucradas con el narcotráfico y que por lo tanto resulta ser un puente fácil con éstos. Ha quedado ampliamente demostrado que los Rodríguez Orejuela adquirieron en su Anticuario unos cuadros de muy alto valor y que fue una operación de la cual Medina tuvo pleno conocimiento, tal como quedó demostrado en las contradicciones de sus versiones sobre el tema del cheque de los 40.000.000 de pesos girado a él por la Empresa Agropecuaria La Estrella Ltda. del Cartel de Cali.

Sin embargo, a pesar de las advertencias que algunas personas hicieron sobre comportamiento ético de Medina, Botero lo llevó a manejar la tesorería de la campaña e insistió en la ratificación.

Llama la atención, en las distintas diligencias de Medina, la forma como describe su relación con Botero. Botero "le ordenó..., le dijo..., le informó..., le pidió..."; se nota un trato distante con el candidato pero una relación muy cercana con Botero. Aún más sorprendente resulta el cambio de actitud de Medina: a lo largo de sus diligencias lo acusa drásticamente, luego, y más concretamente después de que lo tumba como Ministro, asume una actitud menos inquisidora y al final no se presentan acusaciones contra Botero. Lo mismo éste: inicia sus diligencias de indagatoria acusando plenamente a Medina y defendiendo a Samper y luego, cuando decide acusar a Samper, no vuelve a hacer referencia alguna contra Medina, a tal punto que en la diligencia ante el Consejo Nacional Electoral que busca investigar las posibles infracciones relacionadas con los asuntos contables y financieros de la campaña, Fernando Botero Zea no hace la más mínima referencia al Tesorero de la Campaña, Dr. Santiago Medina.

Sería muy importante que la Fiscalía –a ella le corresponde frente a dichos sindicados– cotejara los libros contables del Anticuario, con el propósito de establecer las operaciones mercantiles que se realizaron durante la época de la campaña, su monto y con quiénes. En este orden de ideas y con respecto a la Fiscalía, para lo de su investigación, solicitará la declaración de renta, para confirmar las últimas adquisiciones de su patrimonio. Según las versiones de los choferes aparece adquiriendo durante y después de la campaña unos lotes en El Peñón, un carro Mercedes Benz deportivo, terminando la construcción de una casa en Girardot, étera.

2.10.3. En relación con el relato, bastante descriptivo, que hace Botero a propósito de la aparición de los llamados "narcocassettes", resulta curioso que no describa ninguna de sus acciones tendiente a averiguar o indagar sobre la veracidad de éstos. Toma una actitud muy pasiva en frente al tema y particularmente en establecer que pudo haber pasado en el seno de la Campaña. Dice que es en ese momento cuando deduce el porqué veía personas y movimientos extraños en la Campaña. Una persona inocente al tema, con el propósito de no verse involucrada en ello, toma una actitud menos pasiva y más inquisidora o indagante frente al asunto.

2.10.4. La operación internacional a través de Panamá, descrita por Botero, en relación con los dólares manejados en sus cuentas bancarias de los Estados Unidos, la justifica en el propósito de no exceder los topes máximos impuestos por el Consejo Nacional Electoral. Resulta absurdo e injustificado el traslado de dichos dineros con tal objetivo, si al final no se demostró que fue un mecanismo útil, y terminó más bien siendo un manejo oscuro de unos dineros de la Campaña.

2.11. La situación hasta aquí planteada

Por la reconstrucción de los hechos y lo que las pruebas demuestran, es ineludible concluir que no existe imputación contra el actual Presidente de la República. Ni aun en el evento de que se demostrara la penetración de dineros del cartel a la Campaña Presidencial podría imputarse autoría directa ni indirecta a Ernesto Samper. Mucho menos si se demostrara que los dineros ingresaron a la sociedad de hecho que pudieron haber efectuado los directivos, que si bien para actuar utilizaban el mote de Campaña Samper Presidente, no era en ejercicio de una representación legítima que actuaban.

Las únicas imputaciones que obran en el expediente son las realizadas por los Dres. Botero y Medina, cuyas contradicciones, incongruencias y evidentes mentiras ya analizamos.

Es entendible, naturalmente, la confusa situación que se ha creado, que lleva al público a no comprender cómo pudo ser que el Candidato, Dr.

Ernesto Samper Pizano, no se enterara de la circunstancia de que a la campaña estaban llegando fondos de dudoso origen, si estos fondos resultaran ciertos.

Pues bien, se explica porque de una parte todo indica que los dineros entregados por personas que se consideran vinculadas a actividades ilícitas, no entraron a la campaña sino a lo que dijeron era la campaña. Pero además, es incuestionable que las gentes que se comprometen a una candidatura sin otro propósito que el de ganar con su candidato, forman una élite y tienen en miras el poder. ¿Qué no harán para que su candidato gane y así asegurarse en los grandes puestos del gobierno electo?.

Generalmente los que rodean al Candidato terminan apoderándose de él. Creando en torno a él una férrea muralla inaccesible, porque lo que ellos quieren es el poder. Casi que ni les interesara el candidato. Muchas veces piensan hasta que el candidato no es el óptimo, pero es su candidato. No están de acuerdo con el candidato y en secreto opinan contra él. Es frecuente verlo así en todas las campañas electorales en cualquier rincón del planeta. Cientos de personas que corren para salir de las campañas cuando la derrota se aproxima y otras miles que corren si presienten que es la victoria lo que se avecina.

Los sociólogos de la política han analizado hasta el cansancio el atractivo que ejerce esta actividad, a pesar de que a veces parece más ardua e ingrata que cualquiera otra. A través del poder se obtienen muchas cosas y el poder es el valor clave de la política. El poder sirve para atrapar muchas oportunidades y para defender muchas opciones. Las élites de las candidaturas buscan el poder tras el trono. La primera vuelta terminó mal para la élite de Samper. Esa élite se alarma, se siente derrotada, busca afanosamente sobrevivir. Todo indica, según el relato de Botero y Medina, aceptado por la Fiscalía, que ambos estaban extendiendo la red del poder. Y lo consiguió Botero y en qué forma. Su ambición no estaba dirigida solamente a los cuatro años venideros sino al futuro. Él lo reconoce públicamente, en la entrevista a un importante periodista, Director de un noticiero de televisión.

En las campañas el dinero que llega, todo el dinero, tiene la finalidad del poder. Del poder de la élite. Para una u otra cosa. De la indagatoria de Botero se trasluce la trama inmensa de su habilidad para envolver al Candidato y aprovecharse no sólo del temperamento confiado y noble que todos reconocen en Ernesto Samper, sino también del agobiante ritmo de trabajo proselitista que se había impuesto. Samper venía de larga brega predicando el cambio social. Primero fueron los usuarios de los servicios públicos, después la clase media, después las gentes pobres y marginadas de Colombia. Su política era el salto social. Pendiente de su política, en frente de un contendor montado sobre poderosos esquemas de imagen, no tenía tiempo para ocuparse de cosa distinta, mientras sus organizadores, gerentes, directores, jefes de campaña nacionales y regionales, hacían el trabajo de lograr los objetivos que la política del candidato propone, y tras él lograr el poder. Puede ser que para hacer efectivos los fines del programa, o simplemente para tener el poder y con él todo lo que el poder conlleva. Pero a la hora del juicio, éste no se puede hacer sino sobre la conducta de la persona, individualmente considerada, no sobre la conducta de sus colaboradores o amigos. Tampoco se pueden hacer juicios sobre la leyenda sino ajustados al rigor de la verdad sobre los hechos. Es la única vía posible de la administración de justicia en el Estado de Derecho, asegurado en la Constitución.

La síntesis de cuanto ha ocurrido en Colombia desde hace muchos años es que, al desgaire, se fueron creando costumbres y métodos de vida que permearon la economía, la sociedad, el Estado, la legislación. Un episodio electoral, uno más en todos estos años, ha sido el florero de Llorente para reflexionar, así haya habido necesidad de utilizar chivos expiatorios, sobre la dantesca situación de una realidad globalizada, en la cual treinta millones de consumidores en el país del norte, que son impunes, determinan el que millones de campesinos sean cultivadores, y al tenor de la ley delincuentes, sin que ninguna autoridad se atreva a cometer la injusticia de ponerlos en la cárcel, pero que bajo la bota del país poderoso hay que fumigar y execrar, dejando de lado los ingentes esfuerzos que Colombia hace para desarraigar el cultivo, el tráfico y el consumo de drogas.

CAPÍTULO III

DE LOS HIPOTÉTICOS DELITOS Y DE LA RESPONSABILIDAD

No obstante no existir compromiso penal, habida consideración de las referencias probatorias ya analizadas, fuerza es realizar una síntesis de los cargos, *en nomen juris*, como lo determina la denuncia, pieza procesal de la cual ocurre el debate que estamos realizando.

De conformidad con la denuncia penal formulada por el señor Fiscal General de la Nación ante la Comisión de Investigación y Acusación de la H. Cámara de Representantes, " (...) las nuevas pruebas que se adjuntan (...) acreditan el ingreso a la campaña presidencial de ERNESTO SAMPER PIZANO de dineros provenientes de actividades delictivas; atentados contra la fe pública en la contabilidad, exceso sobre el tope máximo legal de financiación, fraude a las leyes electorales, obtención indebida de recursos del Estado y maniobras encaminadas al encubrimiento de los hechos" y se afirma que en tales conductas estaría seriamente comprometida la responsabilidad del entonces candidato y actual Presidente de la República.

Para sustentar el denuncio, se sostiene que " (...) la presentación de los documentos con fundamento en los cuales el Consejo Nacional Electoral expidió el acto administrativo que convalidó las cuentas y ordenó reponer el dinero de la campaña, se hizo con evidente alteración de la verdad en documentos privados que sirvieron de prueba o alteración de la verdad por destrucción, supresión u ocultación de elementos probatorios sobre valores realmente ingresados pero no incorporados a la contabilidad, para con ello inducir en error a la Administración Pública y obtener la orden de reposición de dinero. Todo indica, pues, que se produjo la defraudación al patrimonio del Estado".

Son varias las conductas supuestamente delictivas que la Fiscalía General de la Nación imputa al " (...) entonces candidato y actual Presidente de la República (...), doctor ERNESTO SAMPER PIZANO.:

a) Ingreso de "dineros provenientes de actividades delictivas. Lo que indica, al parecer , 'Enriquecimiento ilícito de particular a favor de tercero'";

b) Atentados contra la fe pública en la contabilidad: alteración de la verdad en documentos privados que sirvieron de prueba o alteración de la verdad por destrucción, supresión u ocultación de elementos probatorios sobre valores realmente ingresados pero no incorporados a la contabilidad;

c) Inducción en error a la Administración Pública para obtener la reposición de dineros públicos, y

d) Consecuente defraudación al patrimonio del Estado.

Veamos:

3.1. Afirma la denuncia que, según las pruebas recaudadas, ellas, "(...) acreditan el ingreso a la campaña presidencial de ERNESTO SAMPER PIZANO de dineros provenientes de actividades delictivas".

Tal imputación o cargo, podría concretarse en un supuesto punible denominado "ENRIQUECIMIENTO ILÍCITO DE PARTICULAR".

3.1.1. Presentación

La denuncia trata de apuntar, en sus anexos y en su cuerpo, al decir de un supuesto ingreso de recursos de dudosa procedencia y trata de hacer coincidir, lo supuestamente inexplicado en su anotación contable, con recursos ilícitos.

Como lo anotamos anteriormente, ni la prueba demuestra el ingreso, sino, acaso, una operación de lavado, ni puede hacerse coincidir el hecho de los recursos inexplicados, con los recursos ilícitos.

Por el contrario, lo que se demostró es que existe una diferencia total entre la Campaña presidencial denominada "SAMPER PRESIDENTE" y la sociedad al parecer creada, manejada por unos empleados de la misma, para su lucro personal, denominada por ellos, o que se le dio el mote de Campaña SAMPER-PRESIDENTE.

No obstante, no es nuestro propósito minimizar el hecho y dejar que por la mera demostración probatoria, ellos entren a examen de la Comisión de Investigación y Acusación de la H. Cámara de Representantes; por el contrario, es de nuestro interés y desde luego coincidimos con el sentimiento general del país, de hacer claridad sobre este episodio, pues es la imputación de mayor repercusión a nivel interno e internacional.

Se resalta: existe, pues, ajenidad del comportamiento del actual Presidente de la República, frente a tales hechos; pero al tiempo pensamos que el hecho mismo no existió, puntos que dejamos claramente expuestos en acápites anteriores. No obstante, en aras de la discusión abramos el debate:

140

De los hipotéticos delitos y de la responsabilidad

3.1.2. De la descripción

Dispone el artículo 10 del Decreto 2266 de 1991:

"El que de manera directa o por interpuesta persona obtenga para sí o para otro incremento patrimonial no justificado, derivado, en una u otra forma, de actividades delictivas, incurrirá, por ese solo hecho, en prisión de cinco (5) a diez (10) años y multa equivalente al valor del incremento ilícito logrado".

3.1.3. De los elementos y la responsabilidad

Son sus elementos:

a. Obtención de incremento patrimonial, derivada de cualquier manera, directa o por interpuesta persona.

b. No justificación del incremento.

c. Realización de actividades delictivas propias del narcotráfico o conexas.

Del atento examen de la descripción, bien puede interpretarse que el punible puede ser realizado por quien ejecuta la actividad de narcotráfico, cualquiera que sea el grado de participación, y también, por quien sin intervenir en dichos punibles descritos por la ley 30 de 1986, se ha lucrado o derivado aumento patrimonial de su realización.

a. Del incremento patrimonial

Implica un aumento del patrimonio económico, que se traduzca en acrecer el activo o disminuir el pasivo.

Realizado por el autor del narcotráfico o por tercera persona que incluye el testaferrato; en tal evento, en este último, aunque existe figura separada puede ser a favor del autor o de otra persona natural o jurídica.

Tradicionalmente el aumento patrimonial ha de ser económico, no de otra manera se entiende la expresión patrimonio. Algunos hablan de aumento de status, sin embargo, ello parece imposible porque el status hace parte del patrimonio moral y si dentro de la esfera de la expresión patrimonio se encuentra lo gravable, como obligación tributaria, difícil es la cuantificación del patrimonio moral, pues no existiría referencia objetiva para su configuración. Diversa es la situación cuando la reflexión apunta al ataque al patrimonio moral de la persona, caso en el cual el detrimento es cuantificable de acuerdo con la vulneración afecta a la rúbrica, bien jurídico patrimonio moral, del todo ajena a la regulación y al bien jurídico que estamos analizando.

b. No justificado

Puede referirse dicho ingrediente, a la ausencia de justicia o conformidad con el derecho, o a la ausencia o imposibilidad de demostración. Allí varias hipótesis:

Si lo primero, a un esfuerzo de establecer una causal de justificación, dificultosa, mas no descartable. No descartable en cuanto se refiere a la aceptación social del hecho, bajo el prisma de la infiltración general de dineros en el cuerpo social. Ello es poco aceptable en el estado actual de la discusión.

Si lo segundo, a la imposibilidad de explicación que no por ello coincide con la sinonimia de dineros de dudosa procedencia. Y esto otro vale la pena reflexionar sobre la protección de la buena fe, el torrente económico y la imposibilidad de conocimiento del origen de los recursos.

De suyo que de no observarse la anterior circunstancia, dificulto la situación del encartado.

No obstante, ¿qué clase de demostración existe frente a estos elementos, cuando lo demostrado es, precisamente, la ajenidad del Dr. Samper a las maniobras de los funcionarios de la Campaña? ¿Quién se enriqueció, la Campaña o la Sociedad de los funcionarios, a la que le dieron el mote de "SAMPER PRESIDENTE?"

c. De las actividades delictivas

El incremento patrimonial se debe ofrecer derivado de actividades delictivas.

Entonces no es del tráfico de estupefacientes de manera directa sino derivado de dicha actividad.

Del curso de la figura se observa que la expresión actividades delictivas aplica sólo al delito de narcotráfico y conexos; conforme a lo determinado, *erga omnes*, por la H. Corte Suprema de Justicia, Sala Plena, Sentencia de Octubre 3/89.

Este tipo penal es monosujetivo, lo que indica que la persona debe realizarlo de manera directa, sin que sea posible establecer participación sin la existencia de un autor material.

La razón de ley de la figura fue precisada cuando por control constitucional al artículo 2266 del 91, se advierte que la expresión en estudio hace referencia a conductas judicialmente declaradas (Sent. C-127/93); sin que en ello exista duda al tenor de lo establecido por decisión *erga omnes* de la actual Corte Constitucional, Sentencia C-131 de Abril 1/93 y resaltada en la sentencia *erga omnes* C- 083 de Marzo 1/95.

De los hipotéticos delitos y de la responsabilidad

De suyo que cualquiera que sea la interpretación: la fáctica, es decir, actividades delictivas desde el punto de vista de hechos o la jurídica, es decir, la de previa decisión judicial, es de interés precisar la total ajenidad, como quedó establecido, de la conducta del actual Presidente de la República objeto de investigación.

d. Derivado

Es necio, pero de interés, recordars que estamos ante un derecho penal de acto y no de autor, lo cual aplicado al caso de estudio se traduce en que no es suficiente que se diga que una persona realiza actividades ilícitas para que se tenga todo su desempeño como ilícitos, pues es indispensable demostrarle, en cada caso concreto, que ha ejecutado actividad delictiva. Desde luego: obsérvese que el tipo penal es doloso, lo que implica la concreción de dicho elemento y el ánimo de lesividad al bien jurídico.

Fuerza es concluir que el examen se hace dificultoso cuando de por medio existen actividades *per se* lícitas: la bancaria, la construcción, la intermediación financiera, la bursátil, la industria, el comercio. ¿Es posible hablar, en puridad de términos jurídicos, de patrimonios ilícitos? ¿es posible hablar de que una sociedad en su patrimonio, patrimonio diverso del de los socios, puede poseer un patrimonio ilícito?

Son sencillas inquietudes sobre las cuales se ha de reflexionar; aunque de suyo ajenas al proceder y al comportamiento del actual Presidente de la República.

3.1.4. Consideración

Aunque, se insiste, porque es un hecho demostrado, que el actual Presidente de la República fue totalmente ajeno a los hechos objeto de investigación, en el evento de que tales hechos hubieran sucedido, lo que también en otros apartes de este memorial he negado, considero de interés resaltar, en aras de la lealtad procesal, que en casos parecidos a los que se han intentado, sin éxito, establecer contra Ernesto Samper, existe la posibilidad de buscar otra adecuación de tales hechos a las normas penales, lo que permitiría encontrar una precisa calificación y evitar así, la impunidad.

Pero no es de mi resorte esta consideración, por lo cual la menciono tan sólo como toque de alarma y llamado a la Fiscalía General de la Nación para lo de su cargo.

3.2. De la solicitud de reposición de gastos y las teóricas conductas ilícitas cometidas para obtenerla

Es NECESARIO analizar el contenido jurídico de las posibles conductas supuestamente atentatorias contra la Fe Pública y la hipótesis de Fraude

Procesal en lo que hace relación con la solicitud y obtención de dineros públicos a título de reposición de gastos a las campañas electorales, a pesar de que, insisto, no se ha demostrado en todo el expediente que en ellas pudiera haber habido autoría o participación del Dr. Ernesto Samper.

3.2.1. La financiación de la actividad electoral con dineros públicos

La llamada por la Fiscalía General de la Nación "reposición de dineros públicos", es una figura que la legislación electoral vigente denomina "reposición de gastos de campañas" electorales, y aparece expresamente regulada por el artículo 13 de la Ley 130 de 1994, norma que dice así:

"Financiación de las campañas. El Estado contribuirá a la financiación de las campañas electorales de los partidos y movimientos políticos, lo mismo que las de los movimientos sociales y grupos significativos de ciudadanos que postulen candidatos, de conformidad con las siguientes reglas:

(…)

La reposición de gastos de campañas sólo podrá hacerse a través de los partidos, movimientos u organizaciones adscritas, y a los grupos o movimientos sociales, según el caso, excepto cuando se trate de candidatos independientes o respaldados por movimientos sin personería jurídica, en cuyo evento la partida correspondiente le será entregada al candidato o a la persona, natural o jurídica, que él designe.

Los partidos y movimientos políticos distribuirán los aportes estatales entre los candidatos inscritos y el partido o movimiento, de conformidad con lo establecido en sus estatutos.

Los partidos y movimientos que concurran a las elecciones formando coaliciones determinarán previamente la forma de distribución de los aportes estatales a la campaña. De lo contrario, perderán el derecho a la reposición estatal de gastos".

Llama la atención, en primer término, la nítida distinción que el precepto transcrito establece entre "partidos políticos", "movimientos políticos" (con o sin personería jurídica) y candidatos independientes, distinción que, por lo demás, estaba ya claramente establecida por el artículo 109 de la Constitución Política de 1991:

"El Estado contribuirá a la financiación del funcionamiento de los partidos y movimientos políticos con personería jurídica.

Los demás partidos, movimientos y grupos significativos de ciudadanos que postulen candidatos, se harán acreedores a este beneficio siempre que obtengan el porcentaje de votación que señale la ley.

De los hipotéticos delitos y de la responsabilidad

La ley podrá limitar el monto de los gastos que los partidos, movimientos o candidatos puedan realizar en las campañas electorales, así como la máxima cuantía de las contribuciones individuales. Los partidos, movimientos y candidatos deberán rendir públicamente cuentas sobre el volumen, origen y destino de sus ingresos".

La mencionada distinción no ha sido extraña ni desconocida, sino –por el contrario– ampliamente acogida y explicada por la jurisprudencia nacional. La H. Corte Constitucional, en importante fallo (Sentencia número C-020 del 28 de enero de 1993) que resolvió dos acciones de inexequibilidad intentadas contra la Ley 2a. de 1992, expresó sobre el particular lo siguiente:

"(...) en virtud del libre desarrollo de la personalidad –artículo 16 de la Constitución–, los ciudadanos en ejercicio de sus derechos políticos –artículo 40 ídem– tienen el derecho de optar entre aspirar como candidatos a una elección o no aspirar a tal dignidad. En el primer caso tienen aún una segunda opción que pueden tomar con toda libertad: presentarse como miembros de un partido o movimiento político o bien como persona natural en forma independiente. En el primer caso, en virtud del inciso primero –si tiene personería jurídica– o del inciso segundo –en caso contrario– del artículo 109 constitucional, los partidos políticos se benefician del financiamiento estatal de las campañas. Y en el segundo caso, en virtud del inciso tercero del mismo artículo, el candidato tiene el mismo beneficio.

En otras palabras, los ciudadanos deben optar entre participar como aspirantes en los comicios democráticos del Estado a título institucional o a título individual. En el primer evento la financiación estatal va dirigida a la institución, quien decidirá internamente su forma de redistribución, mientras que en el segundo caso los aportes oficiales se radican en cabeza del candidato.

La razón jurídica de ello consiste, en cada caso, en lo siguiente:

En la primera hipótesis se trata de fortalecer e institucionalizar los partidos políticos. Ello es apenas natural en un Estado Social de Derecho democrático y participativo, como Colombia, al tenor del artículo 1o. de la Carta, como quiera que los partidos políticos son los mecanismos de articulación entre la sociedad civil y el Estado, que canalizan a manera de actores políticos el derecho de asociación –artículo 38 constitucional– y de expresión política de los ciudadanos –artículo 40 ídem–.

Quedó incluso de manifiesto en la Asamblea Nacional Constituyente el deseo de constitucionalizar los partidos. En efecto, la Constitución consagró todo un capítulo –el 2o. del Título IV, artículos 107 a 111, así como el artículo 265-6–, a la reinstitucionalización de los partidos políticos.

En la segunda de las hipótesis, resulta también razonable que si una persona no encuentra en un partido o movimiento político el escenario idóneo para la expresión de sus ideas, no por ello se le cierre la posibilidad de desarrollar sus derechos constitucionales de orden político en forma democrática. Es por ello entonces que la Carta vislumbra y ampara también esta posibilidad". (Sent citada G.C. cit., págs. 305 y 306).

De lo dicho por la H. Corte Constitucional en la transcripción que precede, fluyen con toda nitidez dos postulados básicos, a saber:

– De una parte, que en un estado social de derecho, democrático y participativo como el nuestro, el ordenamiento jurídico procura robustecer y reinstitucionalizar los partidos políticos, como quiera que ellos constituyen el cauce natural de la expresión de la voluntad política de los asociados, y

– De otra parte, que cuando los aspirantes a cargos de representación popular, en ejercicio del derecho al libre desarrollo de su personalidad que la Constitución Política les reconoce y garantiza, encuentran dentro del marco que los partidos institucionalizados les ofrecen un ámbito adecuado a sus aspiraciones, son tales partidos los que deben canalizar los derechos de asociación y de expresión política de los ciudadanos, igualmente reconocidos y garantizados por los artículos 38 y 40 de la Carta Fundamental.

Tales son, pues, las razones que permiten a la H. Corte Constitucional concluir que cuando los ciudadanos optan por participar como aspirantes en los comicios electorales a título institucional, es decir, por conducto de los partidos o movimientos políticos, la financiación estatal de las elecciones va dirigida a los partidos o movimientos políticos y no a los ciudadanos que los representan, como sí ocurre cuando se trata de candidatos independientes, entendiendo por tales aquellos que postulan sus nombres al margen de los programas o banderas de un determinado partido o movimiento, conclusión que concuerda plenamente con lo que al respecto dispone la ley (inciso 4o. del artículo 13 de la Ley 130 de 1994):

"La reposición de gastos de campañas sólo podrá hacerse a través de los partidos, movimientos u organizaciones adscritas, y a los grupos o movimientos sociales, según el caso, excepto cuando se trate de candidatos independientes o respaldados por movimientos sin personería jurídica, en cuyo evento la partida correspondiente le será entregada al candidato o a la persona, natural o jurídica, que él designe".

No resulta superfluo poner de manifiesto que la distribución de los aportes estatales entre los candidatos inscritos y el partido o movimiento en cuyo nombre se inscribieron, es asunto que la ley deja librado a la regulación de los correspondientes estatutos del partido o movimiento (inciso 5o. del artículo 13 de la Ley 130 de 1994) y que, si de coaliciones se trata, la ley dispone que la forma de distribución debe ser acordada previamente entre los partidos y movimientos que conformen la coalición, so pena de que si así no lo hicieren, pierdan el derecho a obtener la reposición estatal de gastos (inciso final del artículo 13 de la Ley 130 de 1994), porque es claro que tales disposiciones corroboran ampliamente la tesis conforme a la cual la reposición de los gastos de las campañas electorales encauzada por conducto de los partidos o movimientos políticos, tiene como beneficiario o destinatario único el correspondiente partido o movimiento político y, en manera alguna, el candidato que opta por participar como aspirante en los comicios democráticos a título institucional.

Lo hasta aquí expuesto se puede resumir así:

(a). En el tema de la financiación por el Estado de la actividad política, la Constitución (artículo 109) distingue dos situaciones:

(a).1. La financiación permanente para el funcionamiento ordinario de los partidos y movimientos con personería jurídica, y

(a).2. La financiación específica para las campañas electorales.

(b). A su turno, en tratándose de la campañas electorales, la Carta introduce, nuevamente, dos situaciones diferentes:

(b).1. Las campañas electorales de los partidos y movimientos políticos, para los cuales no establece condición alguna;

(b).2. Las campañas adelantadas por otros partidos y movimientos (se refiere a los que no tienen personería jurídica) y las de los candidatos postulados por grupos significativos de ciudadanos, los que, para obtener financiación, deben alcanzar el número de votos que les señale la ley.

(c). Sobre el tema de los gastos y los ingresos la Constitución dispone que:

(c).1. la ley puede limitar el monto que los partidos, los movimientos y los candidatos realicen en las campañas electorales;

(c).2. puede la ley también limitar la cuantía máxima de las contribuciones individuales.

En este punto es necesario hacer unos comentarios importantes:

i. Debe notarse que la Carta no autoriza a la ley a fijar la cuantía total máxima de las contribuciones que puede recibir el Partido, el Movimiento o el Candidato, sino la cuantía máxima por contribución individual.

ii. Es obvio que la Carta no limite la cuantía máxima total de las contribuciones que pueden recibir los partidos y movimientos por cuanto éstos son de carácter permanente y, por tanto, deben fortalecerse patrimonialmente, con prescindencia de los eventos electorales. El límite por aportante individual, en cambio, tiene una explicación también muy lógica: se trata de evitar que una sola persona o un grupo muy estrecho de personas, naturales o jurídicas, contribuyan en una forma tal que puedan tomar posición dominante dentro del partido o movimiento gracias al interés económico que adquieren para el partido o movimiento.

iii. No tiene explicación razonable, en cambio, que no se hubiera establecido para los candidatos independientes un límite máximo total igual al tope de gastos autorizado para la campaña, por cuanto al no tener límite máximo total podría recoger recursos superiores a los que gastaría y, por tanto, terminada la campaña, podría tener un superávit que sería para su propio patrimonio dado que no existe organización política de carácter permanente que ofreciera continuidad en la actividad.

(d). Sobre la rendición de cuentas, la Constitución establece que "los partidos, movimientos y candidatos deberán rendir públicamente cuentas sobre el volumen, origen y destino de sus ingresos". Este texto significa:

(d).1. la obligación es de carácter general, no sujeta a eventos específicos;

(d).2. como según la misma Carta los partidos y movimientos tienen financiación de carácter permanente, su obligación de rendir cuentas es también de carácter permanente y continuada, con elecciones o sin ellas, y la ley debe señalarles la periodicidad y las condiciones para dicha rendición de cuentas;

(d).3. en el caso de los candidatos independientes, en cambio, como sólo obtienen financiación específicamente para la campaña, su obligación de rendir cuentas se concreta por fuerza a esa campaña.

(e). En cuanto a la supuesta negativa de la ley a otorgar reposición de gastos a los partidos cuando en la campaña respectiva se exceda el denominado tope, cuestión sobre la que se fundamenta la denuncia para tipificar una presunta defraudación al Estado, hay que anotar, aunque más adelante se harán mayores precisiones en relación con ella, que de la estructura misma de la disposición contenida en el artículo 13 de la Ley 130 de 1994 fluye que ella consagra que la reposición de gastos a los partidos o movimientos políticos con personería jurídica se hace en función de los votos válidos depositados por el candidato o candidatos inscritos, o por la lista o listas de candidatos inscritos; o sea que para dicha reposición, cuando se trata de partidos y movimientos con personería jurídica, repito, se excluye –por definición– la existencia de unos topes previamente señalados para la financiación estatal de las campañas, puesto que la reposición se configura, sobre la base de un potencial electoral, sino sobre la base de los votos válidos depositados por el candidato o por las listas de candidatos inscritos.

En suma, pues, la contribución estatal a las campañas electorales de los partidos y movimientos políticos con personería jurídica se hace, según la ley, en forma de reposición parcial de gastos en función de los votos válidos emitidos en los correspondientes comicios por el candidato o candidatos inscritos.

3.2.2. Exceso sobre el tope máximo legal de financiación y fraude a las leyes electorales

Como quiera que el denuncio formulado por el señor Fiscal General de la Nación contra el doctor ERNESTO SAMPER PIZANO involucra el cargo de "exceso sobre el tope máximo legal de financiación" asociado al de "fraude a las leyes electorales", es necesario examinar con algún detenimiento el tema de los denominados "topes".

La regulación legislativa del tema está contenida en los artículos 14, 15 y 16 de la Ley 130 de 1994 y puede resumirse así:

3.2.2. (a). Siempre con apego a la distinción establecida por el artículo 109 de la Constitución Política, se establece, como principio general básico, que los partidos, los movimientos políticos, los candidatos y las organizaciones adscritas a grupos sociales que postulen candidatos, pueden recibir ayudas o contribuciones económicas provenientes de personas naturales o jurídicas particulares (Ley 130 de 1994, art. 14, inciso 1o.);

3.2.2. (b). Ningún candidato a cargo de elección popular (Presidente de la República, Vicepresidente de la República, Senador, Representante, Diputado a las Asambleas, Gobernadores, Concejales Municipales, Alcaldes, Miembros de Juntas Administradoras Locales) puede invertir en la respectiva campaña, suma alguna que sobrepase la que al efecto fije el Consejo Nacional Electoral, bien sea que ella provenga del peculio propio del candidato, del de su familia o de contribuciones de personas particulares, naturales o jurídicas;

3.2.2.(c). El H. Consejo Nacional Electoral es la única entidad competente para fijar la suma máxima que los candidatos mencionados pueden invertir en las respectivas campañas, provenientes de contribuciones de particulares, del peculio propio de los candidatos mismos o del de su familia, fijación que el nombrado organismo debe hacer con no menos de seis (6) meses de anticipación a la respectiva elección. En caso de que así no lo hiciere, los miembros del H. Consejo Nacional Electoral incurren en causal de mala conducta.

3.2.2.(d). La ley ordena al H. Consejo Nacional Electoral, para efectos de la fijación de las sumas máximas de que se trata, tener en cuenta los siguientes aspectos:

– los costos de las campañas;

– el censo electoral de la circunscripción o circunscripciones electorales de que se trate;

– la apropiación que el Estado haga para reponer parcialmente los gastos efectuados durante las campañas.

Se trata, por consiguiente, de una serie de factores claramente determinados e imperativamente impuestos al H. Consejo Nacional Electoral por la ley, que condicionan el ejercicio de la potestad que se le atribuye, en forma tal que no deja margen alguno de apreciación subjetiva para dicho ejercicio, ni sobre el cumplimiento de esas u otras condiciones.

En otros términos, la ley atribuye al Consejo Nacional Electoral una competencia específica –la de fijar los topes máximos de los aportes que pueden hacer los particulares a una determinada campaña electoral– pero al propio tiempo señala o determina todas y cada una de las condiciones de ejercicio de tal potestad, sin que abra campo a ningún tipo de subjetividad en la apreciación de esos u otros factores, puesto que lo obliga a tener en cuenta, exclusivamente, los tres aspectos ya enumerados y ningún otro. Se está, pues, en presencia de una típica potestad reglada y no ante una potestad discrecional del H. Consejo Nacional Electoral.

3.2.2.(e). Dispone la ley, de otra parte, que las contribuciones de los particulares deben ser entregadas bien al propio candidato, ora a la organización que lo represente o bien al partido o movimiento político al que pertenezca (artículo 15) y agrega que las donaciones de personas jurídicas en favor de una campaña electoral deben ser aprobadas por la mitad más uno (mayoría absoluta) de los miembros de la junta directiva, asamblea de accionistas o junta de socios, según el caso, circunstancia de la cual deberá dejarse constancia en el acta de la respectiva reunión (artículo 16).

3.2.2.(f). En cuanto a las sanciones que la ley contempla por la infracción a lo dispuesto por el artículo 14 de la Ley 130 de 1994, ellas son de dos tipos:

– la prohibición, al candidato que la infrinja, de recibir dineros provenientes de fondos estatales, y

– la imposición de multas en cuantía mínima de $2.000.000 y máxima de $20.000.000 según la gravedad de la infracción.

No consagra la ley, valga resaltarlo desde ahora, ningún género de sanción de índole penal.

De los hipotéticos delitos y de la responsabilidad

Las disposiciones contenidas en el artículo 14 de la Ley 130 de 1994 y muy particularmente las de sus incisos 2o. y 3o., confrontadas con la regulación contenida en el artículo 13 de la misma Ley sobre financiación estatal de las campañas que ya se dejó analizada, llevan a la conclusión de que son lógicamente imposibles de cumplir, como pasa a explicarse.

En efecto, una de las pautas que el H. Consejo Nacional Electoral debe tener en cuenta para fijar el tope máximo de las sumas que un candidato a la Presidencia de la República puede recibir de particulares es "la apropiación que el Estado haga para reponer parcialmente los gastos efectuados" durante la campaña presidencial. De otra parte, la fijación de ese tope máximo debe ser hecha por el H. Consejo Nacional Electoral "seis (6) meses antes de la elección".

Ya se vio cómo la reposición parcial de gastos en las campañas para Presidente de la República debe hacerse tomando en cuenta el número de votos válidos depositados en favor del candidato o candidatos inscritos, lo cual exige que los resultados del escrutinio se hayan producido y estén debidamente establecidos, pues de otra manera no podría determinarse con precisión el monto o valor de la reposición parcial de gastos o contribución estatal a la financiación de las campañas electorales para Presidente de la República. Recuérdese, por otra parte, cómo la reposición parcial de gastos debe hacerse en favor del partido o movimiento político, cuando de candidato institucional se trata.

Si ello es así, como sin la menor duda lo es de conformidad con lo que dispone el artículo 13 de la Ley 130 de 1994, resulta un imposible lógico que con seis meses de antelación a la elección de Presidente de la República, pueda el H. Consejo Nacional Electoral (a menos que sus integrantes sean todos clarividentes) predecir cuál habrá de ser el número de votos válidos que los colombianos depositarán en favor de los candidatos que se disputen la Presidencia de la República y preestablecer el monto de la apropiación que el Estado habrá de hacer para reponer parcialmente los gastos efectuados durante las campañas[2].

---

2.   Los hechos, que son tozudos, parecen avalar esta interpretación. En efecto, hasta donde la información disponible alcanza, aparentemente el Consejo Nacional Electoral sólo publicó la Resolución que señaló los topes máximos para aportes de los particulares de que trata el artículo 14 de la ley 130 de 1994, varios meses después de haber expedido las credenciales de los Dres. ERNESTO SAMPER PIZANO y HUMBERTO DE LA CALLE LOMBANA, como Presidente y Vicepresidente de la República, respectivamente, y no dentro de los seis meses anteriores a la elección, como lo dispone el inciso segundo, parte final, del mencionado artículo 14.

3.2.2.(g). Otra alternativa, diferente a la de clarividencia que se deja mencionada, sería la de que el H. Consejo Nacional Electoral hubiese fijado los topes máximos de los aportes de particulares basado no en la pauta legal obligatoria (apropiación que el Estado haga para reponer parcialmente los gastos efectuados durante la campaña), sino en una prospección o cálculo aproximado de lo que podría ser esa apropiación. De ser ello así, el acto administrativo que al efecto hubiese proferido el H. Consejo Nacional Electoral habría incurrido en clara violación de lo dispuesto en el inciso 3o. del artículo 14 de la Ley 130 de 1994, que no otorga facultad discrecional al Consejo sino claramente reglada, pues que le ordena imperativamente fijar el tope máximo de los aportes de particulares teniendo en cuenta, entre otros factores, la mencionada apropiación. El acto así expedido estaría, entonces, afectado de nulidad y sería susceptible de ser demandado ante la jurisdicción de lo contencioso administrativo.

3.2.2.(h).Una tercera alternativa consistiría en entender que el inciso 3o. del artículo 14 de la Ley 130 de 1994 se aplica, exclusivamente, a la segunda vuelta de una elección presidencial, de modo que se entienda que el factor "apropiación que el Estado haga para reponer parcialmente los gastos efectuados se considere referido a la apropiación que el Estado haya hecho para reponer los gastos efectuados durante la primera vuelta", interpretación inaceptable desde todo punto de vista, no sólo porque le haría decir a la ley lo que ésta no dice, sino porque introduciría una limitación que ella en parte alguna contempla, toda vez que una tal inteligencia de la norma conduciría a sostener que tan sólo es posible fijar topes para la segunda vuelta de una elección presidencial y, además, dejaría sin topes una elección que se produjera en tan sólo una vuelta.

En síntesis: cualquiera que sea la realidad de lo acontecido, la decisión del H. Consejo Nacional Electoral sobre fijación de topes máximos a los aportes de particulares a las campañas que se disputaron la Presidencia de la República para el período constitucional 1994 a 1998 estaría viciada de nulidad, así: en el primer evento, porque no se expidió el correspondiente acto administrativo con la anticipación prevista en la ley; en el segundo evento, porque se expidió sin acatar una de las pautas que expresa e imperativamente le ordena la ley tomar en cuenta y, finalmente, en la tercera de las opciones antes mencionadas, porque la interpretación que le serviría de soporte iría en franca contravía de lo que la ley expresamente dice y contempla.

3.2.3.Otra razón de invalidez: la no publicación de las resoluciones que señalaron los llamados topes

En el supuesto hipotético de que lo dicho no fuese así, se tendría que el señalamiento de topes máximos de financiación privada de las campañas electorales para Presidente y Vicepresidente de la República, para el período constitucional 1994-1998, contenido en las Resoluciones números 109 del 18 de marzo de 1994 y 178 del 7 de junio del mismo año del H. Consejo Nacional Electoral, no fue válidamente hecho por esa Corporación y, aún más, que esa fijación no podía legalmente regir para los comicios en cuestión. En efecto:

Si se examina con detenimiento el texto de las mencionadas resoluciones, surgen de manifiesto los siguientes aspectos incontrovertibles:

(a) De una parte, que para expedirlos el H. Consejo Nacional Electoral invocó sus atribuciones constitucionales y legales y, en especial "las que le confiere la Ley 58 de 1.985";

(b) De otra parte, que no sólo desde el punto de vista de su forma externa sino, primordialmente, atendiendo su contenido material, las mencionadas resoluciones constituyen actos administrativos de contenido general y abstracto, toda vez que no crean, modifican o extinguen situaciones jurídicas particulares y concretas, ni están dirigidos a persona o personas nombradas en forma específica, individual y concreta.

Ahora bien: la invocación de la Ley 58 de 1985 fue, en principio, acertada en la Resolución No. 109 de 18 de marzo de 1.994, pues esa era la norma que en ese momento cronológico habilitaba al H. Consejo Nacional Electoral para expedir el acto que profirió. No lo fue, en cambio, cuando se expidió la Resolución No. 178 del 7 de junio de 1994, porque para esta última fecha las disposiciones de la Ley 58 de 1985 concernientes a financiación privada de campañas electorales habían dejado de regir, en virtud de la expedición y vigencia de la Ley 130 del 23 de marzo de 1994, que derogó las mencionadas disposiciones de la Ley 58. En otros términos: el H. Consejo Nacional Electoral, cuando expidió la Resolución número 178 de 1994, invocó una normatividad jurídica derogada.

Mas eso no es todo. Si se leen atentamente las disposiciones que sobre financiación privada de las campañas electorales contenía la Ley 58 de 1985, particularmente el inciso 4o. de su artículo 12, puede observarse cómo allí se prohibía a los candidatos a la Presidencia de la República o al Congreso Nacional invertir en la respectiva campaña una suma que sobrepasara la que fijara la Corte Electoral –hoy Consejo Nacional Electoral– bien de su propio peculio o del de su familia. No hablaba la Ley 58 de "contribuciones de personas naturales o jurídicas" para incluir esas contribuciones dentro de los denominados "topes". Ello sólo vino a ser consagrado, como factor limitante, por el artículo 14 de la Ley 130 del 23 de marzo de 1994. Lo anterior significa, en buen romance, que la Resolución No. 109 del 18 de marzo de 1994 incluyó un factor, las contribuciones de personas naturales o jurídicas, que no existía dentro de la Ley 58 de 1985, vigente cuando dicha Resolución se expidió, sino que comenzaría a regir varios días después, en virtud de la expedición de la Ley 130.

En otros términos, se tiene que el H. Consejo Nacional Electoral, sin facultad alguna para hacerlo, anticipó la vigencia de un precepto legal, convirtiéndose entonces en legislador y no en aplicador de la ley, desbordando sus atribuciones e invadiendo la órbita del Congreso de la República. Es esa una violación patente, ostensible y manifiesta de la Constitución Política, que subvierte los fundamentos mismos de nuestro sistema institucional, el cual proclama el principio de la separación de funciones de los órganos estatales –artículo 113 de la Carta Política– y que, en desarrollo del mismo, asigna al Congreso –artículo 150– la función legislativa y, que específicamente en el inciso final del artículo 109 de la Constitución, reserva a la ley la facultad de establecer la máxima cuantía de las contribuciones individuales a las campañas electorales.

La Honorable Cámara de Representantes, en ejercicio de las altas funciones jurisdiccionales de que se encuentra constitucionalmente investida y en ejercicio de las cuales está juzgando al señor Presidente de la República, doctor Ernesto Samper Pizano, no puede bendecir ni patrocinar el desconocimiento de la Constitución Política en que incurrió el H. Consejo Nacional Electoral. En sus manos, H.H. Representantes, se encuentra la posibilidad de evitar ese atropello y es la propia Carta Fundamental del Estado colombiano la que les brinda las herramientas idóneas para lograrlo: "La Constitución es norma de normas –dice el artículo 4o. de la Carta–. En todo caso de incompatibilidad entre la Constitución y la ley u otra norma jurídica, se aplicarán las disposiciones constitucionales". Se impone la declaratoria de la excepción de inconstitucionalidad de la Resolución número 109 de 1994 proferida por el H. Consejo Nacional Electoral, y dar entonces aplicación prevalente a las disposiciones constitucionales que asignan al H. Congreso de la República y no al H. Consejo Nacional Electoral, la facultad de hacer las leyes y, en particular, aquella que reserva a la ley, en forma exclusiva y excluyente, y no a una simple resolución del Consejo Nacional Electoral, la atribución de señalar las cuantías máximas de las contribuciones individuales a las campañas electorales.

Anteriormente se destacó cómo las Resoluciones números 109 y 178 del H. Consejo Nacional Electoral son actos administrativos de contenido general y abstracto. Ahora bien: de conformidad con el sistema legal colombiano, los actos de esa clase, para que tengan fuerza obligatoria y puedan ser ejecutables, deben estar dotados de publicidad, porque los actos ocultos o secretos están proscritos en cualquier Estado de derecho. La publicidad de las decisiones administrativas está, pues, garantizada por la Constitución y las leyes de la República. Los artículos 43 del Código Contencioso Administrativo y 1o., 2o. y 8o. de la Ley 57 de 1985 consagran y tutelan la mencionada garantía y disponen que los actos administrativos de contenido general y abstracto deben publicarse en el *Diario Oficial* para que produzcan efectos jurídicos, esto es, para que sean eficaces y su cumplimiento pueda ser exigido. Sólo a partir de la fecha de esa publicación pueden regir los actos de esa estirpe.

Ante el marco legal anterior, vale preguntarse: ¿cómo procedió el H. Consejo Nacional Electoral con las Resoluciones números 109 y 178 de 1994? Dispuso que ellas fueran notificadas –no publicadas como debió hacerlo– y sólo varios meses después, seguramente al percatarse del error cometido, las hizo publicar en el *Diario Oficial*, edición correspondiente al día primero (1o.) de noviembre de 1995, número 42.073. La consecuencia de ese proceder, de conformidad con las disposiciones de la Ley 57 de 1985, es la de que sólo a partir del primero de noviembre de 1995 entraron a regir tales resoluciones. Por consiguiente, los "topes" o sumas máximas con que personas naturales o jurídicas podían contribuir a la campaña presidencial para el período 1994-1998, no existían legalmente para las fechas en que tuvieron lugar tanto la primera como la segunda vueltas de las elecciones para Presidente y Vicepresidente de la República (29 de mayo de 1994 y 19 de junio de 1994, respectivamente).

Esa extemporánea publicación no convalidó ni podía convalidar el vicio fundamental de que adolecían las Resoluciones 109 y 178 de 1994, por la sencilla pero muy poderosa razón de que la Ley 57 de 1985, su artículo 8o. en particular, dispone terminantemente que actos administrativos como esos "sólo regirán después de la fecha de su publicación", nunca antes de que ella se produzca. Si algún efecto se le puede atribuir a la intempestiva publicación hecha en noviembre de 1995, más de un año después de cumplidas las elecciones presidenciales de 1994, es la de abonar la tesis conforme a la cual los actos administrativos de carácter general no se notifican sino que se publican.

Es éste un tema que no ha sido ajeno a la jurisprudencia del H. Consejo de Estado, máximo organismo encargado constitucional y legalmente de velar por la legalidad de la actuación administrativa. Para la muestra, valga citar tan sólo dos de las muchísimas providencias en que el tema ha sido abordado por aquella Alta Corporación:

En sentencia del 3 de octubre de 1968, con ponencia del Consejero Miguel Lleras Pizarro, dijo el H. Consejo de Estado:

" (…) Conviene llamar la atención acerca de la pervertida costumbre cada día más extensa según la cual los funcionarios públicos pretenden que los actos reglamentarios, cualquiera que sea su forma, o rigen a partir de su expedición o no requieren de publicidad para su vigencia. Todo acto que afecte los derechos de los gobernados debe ser promulgado del modo como lo ordena la ley y no puede regir sin este requisito que no es simplemente formal sino esencial, porque a nadie puede pedírsele cuenta de sus actos si las leyes a que debe sujetar su conducta no se han dado a conocer. Ni la ley, ni los reglamentos, cualquiera que sea su origen, ni las órdenes, así se pretenda que son simples manifestaciones del poder jerárquico, pueden regir, en cuanto afecten los derechos de los gobernados, sin la promulgación. Parece que los funcionarios públicos creyeran que la nulidad que implica la falta de promulgación pudiera sustraer del control de la justicia administrativa esa clase de actos irregulares. No de otro modo se explica la creciente abundancia de reglamentación administrativa confidencial que ya en otros fallos ha censurado el Consejo de Estado". (*Anales del Consejo de Estado*, Tomo LXXV, página 188).

En fecha muy reciente, la misma Alta Corporación, con ponencia del Consejero Guillermo Chahín Lizcano, se pronunció así:

"La recurrente (Superintendencia Bancaria) centra su apelación en desvirtuar la inoponibilidad frente a terceros de su Circular Externa No. 040 de 1986, decidida por el Tribunal *a quo*, argumentando que si bien no fue publicada en el *Diario Oficial*, ni en el boletín de la entidad, pues al momento de su expedición se carecía de tal medio, fue realizada mediante el envío por correo certificado, cumpliendo así con la finalidad de la publicación, pues fue conocida por la corporación actora.

(…)

Para resolver se considera:

La obligación de la publicación de los actos generales de las entidades públicas fue impuesta por el legislador mediante el Decreto 01 de 1.984 y reiterada mediante la Ley 57 de 1985 (…)"

Tras copiar los artículos 1o. y 3o. de la Ley 57 de 1985 y 43 del Código Contencioso Administrativo (Decreto Ley 01 de 1984), continúa la providencia:

"Del análisis de las normas transcritas se infiere que los únicos medios válidos de publicación de los actos administrativos son los diarios, gacetas o boletines oficiales; además, que los actos administrativos de carácter general que no han sido publicados en estos medios no son obligatorios para los particulares.

De los hipotéticos delitos y de la responsabilidad

En el caso de autos, la Circular 040 de 1986 no fue publicada en ningún diario, gaceta o boletín oficial, sino que fue enviada por correo a todos los entes vigilados por la Superintendencia Bancaria; medio que a consideración de la Corporación no es idóneo ni válido para tal fin, pues no fue previsto por las normas anteriormente citadas que regulan la materia; en consecuencia, no era obligatorio su acatamiento para la corporación actora, ya que no podía producir efectos jurídicos.

En síntesis, la entidad demandada al expedir la Circular Externa 040 de 1986 no cumplió con los requisitos de la publicación previstos en la Ley 57 de 1985 y el Decreto 01 de 1984, razón por la cual dicha Circular es inoponible frente a terceros, cargo que formula la corporación y que acogió el *a quo*" (Sentencia de 24 de marzo de 1995, según extracto publicado en la revista *Jurisprudencia y Doctrina*, Tomo XXIV, págs. 639 y 640).

La conclusión que se desprende de todo lo anteriormente dicho es, simple y llanamente, la de que los tan llevados y traídos "topes" para la financiación de las campañas que adelantaron en 1994 los candidatos que se disputaron la Presidencia y la Vicepresidencia de la República para el período constitucional 1994-1998, o no existieron jamás o solo fueron exigibles a partir del 1o. de noviembre de 1995, fecha en que fueron publicadas en el *Diario Oficial* las Resoluciones números 109 y 178 de 1994 proferidas por el H. Consejo Nacional Electoral. En consecuencia, como las elecciones para Presidente y Vicepresidente de la República tuvieron lugar el 29 de mayo de 1994, en la primera vuelta, y el 19 de junio del mismo año, en la segunda vuelta, los topes que dichos actos administrativos señalaron no habían entrado a regir para las fechas últimamente mencionadas. Y como es apenas obvio, si los "topes" no existieron legalmente, o sólo entraron en vigor a partir del 1o. de noviembre de 1995, mal puede hablarse de "exceso sobre el tope máximo legal de financiación", ni de "fraude a las leyes electorales" y, menos aún, de "obtención indebida" de recursos del Estado por parte del doctor Ernesto Samper Pizano con ocasión de la campaña electoral que lo llevó a la Presidencia de la República.

3.2.4. Contenido de los topes

Es importante, finalmente, analizar lo concerniente al tema de si a los topes que fije el H. Consejo Nacional Electoral según el artículo 14 de la Ley 130 de 1994 se les deben adicionar las sumas provenientes de la reposición de gastos a que alude el artículo 13 ibídem o si, por el contrario, tales sumas deben considerarse incorporadas dentro de los mencionados topes.

La Ley 130 no es clara, desafortunadamente, al respecto. Se limita a disponer, según ya se anotó, que el H. Consejo Nacional Electoral, al fijar los topes de la financiación proveniente de particulares, debe tener en cuenta la apropiación que el Estado haga para reponer parcialmente los gastos efectuados durante las campañas. No dice, con la precisión que habría sido deseable, si esa apropiación estatal ha de tenerse en cuenta para adicionar los topes, o para disminuirlos. Tampoco, que se sepa, existe un decreto reglamentario de la ley que colme el vacío del legislador. La omisión, sin embargo, no parece insuperable, si se interpretan las disposiciones con un criterio teleológico, esto es, que consulte la finalidad de la legislación sobre financiación de las campañas electorales.

En efecto: es innegable que la evolución de la vida política moderna y los procedimientos de comunicación y de propaganda actualmente utilizados encarecen notablemente los costos en que se debe incurrir si se aspira a conquistar el poder a través del voto popular. Los factores determinantes de tal encarecimiento son variados y bien conocidos: la prolongación de la duración real de las campañas y la utilización de nuevas técnicas de mercadeo, tales como las encuestas y la publicidad de tipo comercial (*marketing*), por ejemplo. Las campañas presidenciales deben absorber sumas supremamente altas que no guardan relación con los haberes personales de los candidatos ni con las sumas que aportan los partidos o sus adherentes. Dentro de ese contexto, las donaciones y las contribuciones de los particulares se hacen necesarias y la ley así lo reconoce, desde el momento mismo que contempla previsiones enderezadas a regular esos aportes de particulares.

Ahora bien: si la finalidad de la ley es la de autorizar, dentro de los límites y condiciones que ella misma determina, la financiación de los particulares a las campañas electorales, la interpretación que se ha de dar a sus disposiciones debe tender, naturalmente, a favorecer y no a restringir las posibilidades de esa financiación; a hacerla viable y posible, mas no a impedirla ni a disminuirla. Ello sin perjuicio, claro está, de salvaguardar en todo caso el principio de transparencia que debe informar siempre todo proceso electoral, incluyendo obviamente el aspecto de la financiación de las campañas electorales mediante aportes de los particulares, transparencia que es y debe ser fundamental, y que la propia Ley 130 de 1994 tiende a garantizar, como se desprende de las normas que integran el Título V, artículos 18 a 21, de la citada Ley.

Con apego, entonces, a tales criterios, resulta no sólo razonable sino jurídicamente acertada la postura del H. exmagistrado del Consejo Nacional Electoral, Luciano Montoya, quien –según dio cuenta recientemente la prensa nacional[3]–, sostuvo en 1994 que "la suma pagada por concepto de reposición por parte del Estado no se tiene en cuenta como un ingreso para el establecimiento de la suma tope" de los aportes que pueden hacer los particulares a la financiación de las campañas electorales. Una interpretación contraria conduciría, en efecto, a entorpecer la clara finalidad de la ley, que ante la imposibilidad de que el Estado financie la totalidad de las campañas electorales, abre la puerta, regulándola, a la cofinanciación de tales campañas por los particulares[4].

En suma, no se encuentra forma atendible a la vinculación del actual Presidente de la República a los hechos antes descritos: al encontrarse ajeno a los mismos y, ellos, no constituir infracción penal alguna.

Honorables Representantes:

Como tantas veces lo he repetido en este documento, la conducta del Dr. Ernesto Samper Pizano, tanto en su condición de candidato a la Presidencia de la República como en el ejercicio de la Primera Magistratura, ha sido ajustada a la ley en todos sus pormenores. Más todavía, si se considerara que en la ley hay vacíos o inconsistencias, se lo podría juzgar con los más estrictos cánones de la moral pública y de la ética política y siempre saldría avante, sin que una sombra de duda pudiera empañar su limpia trayectoria ni mancillar el honor de la Patria que él dirige. No hay en todo el expediente, ni podría presentarse jamás aunque se mantuviera abierto por años y decenas de años, una sola prueba en su contra. La razón para esta afirmación es una y simple: solo puede demostrarse el hecho realmente sucedido, únicamente puede comprobarse la conducta realizada, y si el Sr. Presidente Ernesto Samper obró siempre con la Constitución como fuente inquebrantable del Estado de Derecho, la Ley como la expresión más próxima del orden jurídico, la moral como el norte que debe regir la conciencia del hombre frente a Dios, y la buena ventura de la nación colombiana como la más pura aspiración de su inteligencia, la única prueba que puede existir es la de su desvelo por la salud de la Patria y la de su interés por el desarrollo espiritual y material de los colombianos.

---

3. Ver en *El Tiempo*, No. 29.747, edición correspondiente al día 20 de marzo de 1996, pág. 6A.

4. Tal parece ser el criterio del doctor Andrés Pastrana Arango, según da cuenta la información de prensa citada en la nota 8 anterior, cuando sostuvo ante el Consejo Nacional Electoral que su campaña tenía derecho a gastarse 4.000 millones de pesos más los 1.700 millones de la reposición de gastos que a su campaña presidencial le reconoció el Consejo Nacional Electoral.

A lo largo de este escrito se han expuesto, una a una, las diferentes argumentaciones de hecho y de derecho que permiten concluir cómo de ninguna manera se puede atribuir responsabilidad alguna al actual Presidente de la República, Doctor Ernesto Samper Pizano, por las imputaciones investigadas por la Honorable Cámara de Representantes a través de la Comisión competente. El fundamento principal de las imputaciones deviene de la denuncia que presentó el Fiscal General de la Nación, tomando como fundamento las versiones rendidas por Santiago Medina ante el Fiscal Instructor y las supuestas concordancias de esas versiones con el testimonio de Andres Enrique Talero, la indagatoria de Fernando Botero Zea y una mal denominada prueba pericial, que serían las pruebas de cargo, dado que todas las demás aportadas por él mismo o recaudadas en esta investigación, en lugar de hacerle imputaciones al actual Presidente de la República, dejan en claro su ninguna participación en los presuntos hechos irregulares.

De tales elementos informativos se ha concluido a lo largo de este escrito, cómo no existe prueba alguna que desvirtúe las afirmaciones del señor Presidente de la República en sus tres indagatorias rendidas ante la Comisión competente. No es cierto que desde cuando tomó posesión de la Presidencia hubiera limitado de manera alguna la acción del Gobierno en la lucha contra el narcotráfico; no es cierto que haya tenido arte ni parte en la consecución de dineros de dudosa procedencia porque todos los elementos de prueba lo excluyen de actividad alguna en tal sentido; no es cierto que se halle acreditado de manera fehaciente que a la CAMPAÑA HUBIERAN INGRESADO dineros provenientes de actividades delictivas, porque tales dineros están solamente ligados a maniobras realizadas por los detractores del Presidente, Fernando Botero Zea y Santiago Medina; no es cierto que el Presidente, en su calidad de Candidato, hubiera tenido algo que ver con el manejo contable ni con la presentación de cuentas ante las autoridades electorales y, mucho menos, con el asunto referente a los reintegros oficiales del Estado por razón de los gastos electorales. Todas las razones presentadas en este escrito y el respaldo probatorio de las mismas así lo demuestran.

Llegados a este punto, forzoso es concluir que la Honorable Comisión Investigadora de la Cámara de Representantes debe pronunciarse en el sentido de proponer a la Cámara en Pleno que precluya el proceso, de tal modo que se haga cesar el procedimiento de conformidad con lo establecido en los artículos 443 y 36 del Código de Procedimiento Penal, declarando que algunos de los hechos imputados no han existido y que nada de lo atribuido a la conducta del Dr. Ernesto Samper Pizano ha sido cometido por él. En efecto, ni es autor de encubrimiento ni obtuvo por acción suya reintegro de dineros del Estado para reponer gastos de la campaña, ni es autor de falsedad alguna relacionada con documentos contables ni con ninguna otra clase de documentos, ni participó en el presunto ingreso de dineros de dudosa procedencia a la campaña presidencial. Finalmente, no ha existido el tal hecho de violación de los llamados topes legales.

Este proceso pasará a la historia como una de las más grandes demostraciones de los errores y equívocos que pueden cometerse cuando los juicios salen del marco que les señalan las leyes y se convierten en valoraciones generales, no sujetas al régimen probatorio. Aquí solamente faltó la práctica de uno de los llamados ¡juicios de Dios!, tan comunes en los tiempos de la Inquisición, cuando el reo era sometido al resultado del azar, echándolo al agua para declararlo inocente si flotaba o culpable si se ahogaba; culpable si se quemaba las plantas al cruzar descalzo por encima de brasas candentes e inocente si no se quemaba. Esos tiempos felizmente se han acabado desde cuando se proclamaron los derechos del hombre y del ciudadano. Sus principios están ahora íntegramente recogidos en la Constitución Política de Colombia. En su artículo 29 se exige la declaratoria judicial de la culpabilidad para condenar, y desde luego, para acusar públicamente a una persona se requiere una prueba suficiente de que es reponsable penalmente. En el proceso contra el Dr. Ernesto Samper no solamente no ha aparecido prueba alguna de culpabilidad, sino por el contrario, prueba absoluta de su total inocencia. Es cierto que la inocencia se presume, pero el Presidente de la República, amparado por esa presunción, no se ha acogido a ella sino que se ha encargado de demostrarla. ¿Cuántas veces, en qué país del mundo, acusado en juicio criminal renuncia a su presunción de inocencia para comprometerse a demostrar, sin lugar a dudas, la rectitud de su proceder?

Por veces el país ha tenido la sensación de que muchos de los detractores del Presidente, incluidos algunos que por sus investiduras y responsabilidades deberían ser particularmente prudentes y serenos, lo que han querido es someter al Primer Magistrado a un linchamiento moral, más que a un juicio justo. Llegan a un extremo tal que ahora algunos sostienen que si el Presidente fuere declarado inocente por no encontrar en su conducta reproche penal, todavía hay que acusarlo y juzgarlo por indignidad, porque supuestamente al no renunciar al cumplimiento del mandato que el pueblo le otorgó, colocó al país en graves dificultades. ¿Habráse visto tamaña monstruosidad? Es la pretensión inaudita de hacer indigno el sagrado derecho a la defensa en juicio justo.

Como dije en los inicios de este memorial, es la primera vez que se hace juicio a un Presidente en ejercicio. En las ocasiones anteriores los mandatarios han preferido cerrar el Congreso de turno antes que permitir que se intente siquiera formular acusación. Esto enaltece en grado sumo al Sr. Presidente. Su respeto íntegro a la justicia y a la bondad de las instituciones ha quedado en evidencia.

Estoy seguro, H.H. Representantes, de que gracias a su actuación ajustada a los principios rectores de la Constitución, nuestro Presidente podrá decir, con el Libertador Simón Bolívar: "La justicia justifica la audacia de haberse sometido".

Respetuosamente les solicito la PRECLUSIÓN DEL PROCESO (art. 443 del Código de Procedimiento Penal), en concordancia con las causales de cesación de procedimiento (Art. 36 del mismo Código).

De los Honorables Representantes,

Luis Guillermo Nieto Roa

ANEXO

Concepto del contador público
titulado Jaime Hernández

En relación con el anexo No. 9 presentado por la Fiscalía General de la Nación, bajo la denominación Dictamen Pericial, a continuación y con el ánimo de determinar el verdadero alcance del documento en mención, el cual no reúne los requisitos de un experticio contable y por lo tanto carece de rigor para servir como sustento probatorio en el proceso que nos ocupa, me permito efectuar las siguientes precisiones, aclaraciones y modificaciones al citado documento:

En primer término y por considerarlo de vital importancia, debido a la errónea interpretación entregada por los profesionales de la Fiscalía, es necesario dejar en claro lo que en el ámbito de la ley y del ejercicio de las operaciones aplicables se entiende por contabilidad, la que se define como la ciencia o técnica que permite registrar, clasificar y resumir de una manera significativa y en términos monetarios, las transacciones representativas de operaciones sociales, con base en procedimientos documentados, que acorde con unos requisitos, permiten una cuantificación en términos económicos de unos hechos acaecidos durante el proceso desarrollado por un ente económico. Tales hechos deben estar sustentados en documentos de fuente interna y externa, para permitir la producción de la información consignada en los Estados Financieros, todo lo cual armoniza con la estructuración de un sistema de información contable, el que a su vez se entiende como el conjunto de Estados Financieros, libros, documentos, comprobantes, soportes, correspondencia y registros de contabilidad, así como sus procesos integrantes, organizados estructuralmente de conformidad con Principios de contabilidad generalmente aceptados y con las normas legales sobre la materia.

La precisión anterior reviste importancia capital, toda vez que los peritos de la Fiscalía han consignado en su informe la existencia de una doble contabilidad, afirmación ésta que, a la luz de las consideraciones anteriores, carece de realidad, ya que no se pueden denominar con esta acepción, simples comprobantes, recibos y fotocopias que no reúnen los requisitos de las cualidades de la información contable, la que debe ser comprensible, es decir, clara y fácil de entender; pertinente, es decir, que posee valor de realimentación, predicción y es oportuna; confiable, es decir, que es neutral, verificable y representa sin sombra de duda fielmente los hechos económicos.

Por lo tanto los recibos, comprobantes y fotocopias archivados en carpetas que le fueron entregados a la Fiscalía sin ninguna estructuración contable, como los aducidos en el anexo en mención, que no han sido comprobados mediante técnicas como la de la conciliación, la comprobación, los ajustes directos o indirectos, ni pertenecen al sistema de información contable del ente económico denominado Asociación Colombia Moderna –pues no fueron recibidos ni expedidos por el mismo–, ni pueden considerarse generadores de una doble contabilidad; es más, ni siquiera se acercan a la posibilidad de una contabilidad dividida, pues tal como lo . determinan los Principios de Contabilidad Generalmente Aceptados, son objetivos de la información contable, el que la misma sirva entre otros para los siguientes aspectos: conocer y demostrar los recursos controlados por un ente económico, las obligaciones que tenga de transferir recursos a otros entes, los cambios que hubieren experimentado tales recursos y el resultado obtenido en el período; predecir flujos de efectivo; apoyar a los administradores en la planeación, organización y dirección de los negocios; tomar decisiones en materia de inversiones y crédito; evaluar la gestión de los administradores del ente económico; ejercer control sobre las operaciones del ente económico; fundamentar la determinación de cargas tributarias, precios y tarifas; ayudar a la conformación de la información estadística nacional, y contribuir a la evaluación del beneficio o impacto social que la actividad económica de un ente represente para la comunidad.

Como se ve, los comprobantes, recibos y fotocopias allegados por el · señor Santiago Medina no cumplen con los postulados descritos anteriormente y mal pueden considerarse parte de una contabilidad y menos aún llegarse a la conclusión de que existió una doble contabilidad y de que existieron documentos cuyos fines se orientaron a ocultar operaciones económicas. Tales afirmaciones carecen de validez, pues las mismas se encuentran en contravía de los principios de contabilidad generalmente aceptados y de las prácticas contables utilizadas por los profesionales de esta disciplina, pues como se sabe la contabilidad no puede elaborarse con base en indicios, pruebas testimoniales o documentos que no tienen un sustento dentro del ente económico, bien porque no fueron emitidos por el mismo, bien porque no se originaron en una relación contractual o bien porque las operaciones no tuvieron una relación intrínseca contable con el ente.

Dentro de este ámbito, es importante precisar que los principios de contabilidad determinan que los hechos económicos deben ser reconocidos, para poder ser registrados dentro del sistema de información contable, es así como el artículo 47 del Decreto 2649 determina que, "el reconocimiento es el proceso de identificar y registrar o incorporar formalmente en la contabilidad los hechos económicos realizados.

Para que un hecho económico realizado pueda ser reconocido se requiere que corresponda con la definición de un elemento de los estados financieros, que pueda ser medido, que sea pertinente y que pueda representarse de manera confiable.

La administración debe reconocer las transacciones en la misma forma cada período, salvo que sea indispensable hacer cambios para mejorar la información..."

Así los hechos, la contabilidad consignada en los Estados Financieros entregados por la Asociación Colombia Moderna a las autoridades es única que debe ser considerada para los fines legales, en especial al tenor de lo dispuesto en el Artículo 33 del ya citado Decreto 2649 de 1993, que determina que son Estados Financieros certificados y dictaminados, pues éstos constituyen el exclusivo medio probatorio susceptible de ser analizado en materia contable.

Sin perjuicio de lo expuesto, a continuación me permito demostrar que el informe entregado por la Fiscalía, no sólo adolece de debilidades conceptuales en materia contable, sino también que posee además grandes debilidades técnicas que han aumentado geométricamente las cifras presentadas. Es así como en el cuadro No. 01 de la Fiscalía se presenta como subtotal de ingresos contabilidad oficial, la suma de $6.286.803.450 y en el anexo No. 01 de la misma entidad, se muestra la suma de $6.641.961.656, cifras éstas que no sólo difieren en valores de conceptos idénticos, como es el caso de rendimientos financieros y reposición de gastos –circunstancia que indica que no se utilizaron procedimientos técnicos de conciliación y análisis contable–, sino que también incluyen impropiamente ingresos correspondientes a todo el proceso electoral y no a la campaña presidencial, período de Marzo 19 a Junio 30 de 1994. Igualmente se muestran valores que si bien constituyen una fuente de recursos, no constituyen un ingreso de actividad tal es el caso de los aportes de capital, de reintegros de retenciones en la fuente, de cancelación de cuentas corrientes, de encargos fiduciarios, de préstamos y créditos financieros y de traslados de fondos, aseveración que se puede hacer extensiva al concepto de reposición de gastos. Todo lo cual demuestra las incongruencias del llamado informe contable. En el simple examen visual de los anexos entregados por la Fiscalía se pueden denotar las inconsistencias anotadas. (Ver Cuadro No. 01, Anexo No. 01 del Informe Contable de la Fiscalía).

En el cuadro anterior, tomado de los informes de la Fiscalía, como se dijo, se encuentran incluidas partidas que no corresponden a la contabilidad, ya que no reúnen los requisitos ni cumplen con los principios de contabilidad generalmente aceptados, así:

Donaciones. La Fiscalía erróneamente ha incluido la totalidad de las donaciones recibidas por la Asociación Colombia Moderna durante su existencia y no las correspondientes al ciclo contable de la campaña presidencial, como lo manda el principio contable denominado *período de las operaciones*; además ha agregado otras donaciones en cuantía de $1.148.843.840, obtenidas en forma antitécnica de las carpetas entregadas por el señor Santiago Medina –que no cumplen los requisitos contables ordenados por la ley–, varias de las cuales ya habían sido registradas en la contabilidad. Es decir, que ha adicionado valores que ya se encontraban contabilizados por la Asociación Colombia Moderna; es el caso de las partidas que figuran como préstamos recibidos del doctor Fernando Botero Zea –así se desprende de la simple cotejación de los cuadros 05, 07 y 08–, del citado informe, el cual incluye entre otros los cheques números 1707201, 1707202 y 1707203 del Banco Colpatria en cuantías de $25.200.000 respectivamente cada uno, que fueron relacionados en el cuadro 07 denominado "Préstamos de Fernando Botero Zea" y luego incluidos nuevamente al inicio del cuadro 05, bajo la denominación "Recaudos en efectivo y cheques no contabilizados oficialmente".

A este respecto me permito adjuntar fotocopia de la página 34 de los libros auxiliares de la Asociación Colombia Moderna, código contable No. 21950502, donde se demuestra sin sombra de duda, que los valores aludidos *sí* fueron registrados en su integridad como préstamos recibidos del doctor Fernando Botero Zea.

Igual circunstancia a la descrita anteriormente acaece con el cheque número 6906251 en cuantía de $5.000.000, relacionado en el cuadro 05 como del Banco Colombia, aduciendo que no se conoce el girador, y en el cuadro 08 como si se tratara del Banco de Occidente, girado a la orden de Antonio Prieto.

De lo dicho se colige fácilmente la falta de veracidad del informe contable emanado de la Fiscalía General de la Nación, o por lo menos la ausencia de rigor en su configuración.

A diferencia de la concepción y de los errores contables incurridos por la Fiscalía, la Asociación Colombia Moderna en sus Estados Financieros, dentro del concepto de donaciones, presentó la suma de $2.149.360.833, recibida de personas naturales y jurídicas, y la suma de $11.729.006 producto de donaciones en especie, para un total de $2.161.089.839. Dicha suma ajustada por inflación llega a la cantidad de $2.203.020.810. Tales donaciones abarcan el ciclo contable correspondiente al período comprendido entre Marzo 19 de 1994 y Junio 30 del mismo año, ya que atendiendo a las normas legales no se pueden incluir las donaciones correspondientes a la campaña preelectoral o de la precandidatura, pues como bien lo ha dicho el Consejo Electoral, la fecha de la campaña se considera iniciada desde la inscripción respectiva del candidato nominado. Dicha determinación tiene su razón de ser en armonía con el principio contable denominado *período de las operaciones*, el cual establece que los cortes de la contabilidad "... deben definirse previamente, de acuerdo con las normas legales y en consideración al ciclo de las operaciones...". Para el caso que nos ocupa, es claro que el ciclo descrito se inició desde Marzo 19 de 1994. De acuerdo con lo expuesto, el detalle de las donaciones efectuadas por ciudades es como sigue:

Anexo se adjunta fotocopia de la relación de las donaciones recibidas, con indicación del donante, su identificación, número de cheque y valor, *a fin de determinar claramente el origen de los dineros recibidos.*

Conforme con lo descrito, los valores adicionados por la Fiscalía no pueden considerarse, toda vez que no reúnen los requisitos de las normas contables, no corresponden al ente económico, para el caso la Asociación Colombia Moderna, o a su vez, ya se encuentran registrados dentro de la contabilidad en debida forma.

En este estadio, considero importante referirme a los recibos, comprobantes y fotocopias aportados por el señor Santiago Medina, que como se vio no comportan la calidad de prueba contable a cargo o en contra de la Asociación Colombia Moderna, y por el contrario constituyen una prueba contable de la existencia de una contabilidad a cargo del citado señor Medina, de la que él debe dar cuenta, tanto a las autoridades del orden judicial, como a las del orden tributario, en cuanto al recibo y utilización de los recursos que no ingresaron a las arcas de la campaña del señor Presidente Samper, como lo demuestra irrefutablemente la contabilidad de la Asociación Colombia Moderna.

Prueba de lo dicho lo constituye el propio informe de la Fiscalía, página 12, numeral VI-8 del mismo, en el cual cuando se indaga sobre la validez de la documentación entregada por el señor Medina, a la pregunta: "A.1. ... Con base en la documentación que presentó el señor Santiago Medina Serna, si ella está de acuerdo a las normas contables vigentes (folio 540, c. original 06). Se respondió por los peritos: *"La documentación presentada por el señor Santiago Medina Serna, Tesorero de la Asociación Colombia Moderna, no está acorde con lo dispuesto en las normas de carácter contable vigentes"* (Se subraya).

Como se ve los propios peritos desconocen la validez contable de los soportes entregados por el ya citado Santiago Medina, es por ello que no se entiende que a su vez insistan en modificar con base en tales soportes los datos suministrados por la Asociación Colombia Moderna.

Pagos de terceros. Sostiene la Fiscalía que "la Asociación Colombia Moderna fue beneficiaria de donaciones por $965.722.900, efectuadas mediante el pago de facturas a su proveedores, realizado por terceras personas en las cuantías y descripciones indicadas en el cuadro 06 del informe..." y sustenta su afirmación en un detalle de gastos de publicidad, de transporte y otros, que aún no han sido probadas. Al respecto cabe mencionar que los pagos efectuados por terceros –de resultar cierta la afirmación aludida –, no se pueden incluir en la contabilidad, a no ser que medie un documento de fuente interna o externa, como una carta convenio o un contrato suscrito para actuar a nombre y bajo la responsabilidad del ente económico, para el caso la Asociación Colombia Moderna, pues de lo contrario no se tipifican las consideraciones atinentes a los principios contables de costo y gasto respectivamente, los que establecen en su caso que, costos son aquellos que "presentan erogaciones y cargos asociados clara y directamente con la adquisición o la producción de los bienes o la prestación de los servicios, de los cuales un ente económico obtuvo sus ingresos", y gastos son aquellos que "representan flujos de salida de recursos, en forma de disminuciones del activo o incrementos del pasivo o una combinación de ambos, que generan disminuciones del patrimonio, incurridos en las actividades de administración, comercialización, investigación y financiación, realizadas durante un período, que no provienen de los retiros de capital o de utilidades o excedentes".

En igual sentido, para registrar un ingreso como se pretende por los expertos de la Fiscalía, se debe observar el principio contable de ingreso, que establece que "Los ingresos representan flujos de entrada de recursos, en forma de incrementos del activo o disminuciones del pasivo o una combinación de ambos, que generan incrementos en el patrimonio, devengados por la venta de bienes, por la prestación de servicios o por la ejecución de otras actividades, realizadas durante un período, que no provienen de los aportes de capital".

Es decir, que los pagos de terceros, de haberse realizado, pues como se ha dicho no han sido aún probados por un medio técnico, no pueden incluirse en la contabilidad, ni como un ingreso ni como un pago realizado por un tercero, ya que de hacerse, constituirían un acto ilegal, contrario a los principios de contabilidad generalmente aceptados, consagrados en el Decreto 2649 de 1993.

En consecuencia, el único cuadro de ingresos ajustado a la realidad y a la técnica contable, el cual concuerda con los Estados Financieros de la Asociación Colombia Moderna, es el siguiente:

Ingresos de marzo 19 a junio 30 de 1994

El cuadro anterior cumple con los principios contables de período de las operaciones o ciclo contable, ente económico, hecho económico, ingresos realizados, sistema de información contable, realización, asociación, estados financieros certificados y dictaminados, sustento en documentos de fuente interna y externa y contabilidad de causación. En este punto conviene resaltar que la Asociación Colombia Moderna registró sus operaciones por el sistema de *contabilidad de causación o por acumulación.*

De conformidad con este principio contable se establece que "los hechos económicos deben ser reconocidos en el período en el cual se realicen y no solamente cuando sea recibido o pagado el efectivo o su equivalente", a diferencia de los profesionales de la Fiscalía que utilizaron un sistema mixto, sobre la base de efectivo recibido y desembolsado, llamado también de caja, el cual no es aplicable al modelo que nos ocupa y distorsiona gravemente los resultados obtenidos, ya que es antitécnico porque permite que se reflejen en forma repetida el resultado de los hechos económicos.

Egresos. Dentro de este rubro la Fiscalía General de la Nación ha incluido como gastos de la campaña, todos los desembolsos realizados por la Asociación desde el inicio de su vida jurídica, sin importar el período al cual corresponden e igualmente sin considerar de qué tipo de operación se trata, ya sea de la adquisición de activos fijos, inversiones, traslado de fondos, cancelación de obligaciones y acreencias, cuentas por cobrar por anticipos, etc. Es decir, se han cercenado de plano la técnica contable y las normas aplicables en la materia, para dar paso a un procedimiento que no corresponde a ninguna forma contable de valoración, pues no existe un elemento de homogeneización idóneo.

Es precisamente por la circunstancia descrita que la Fiscalía General de la Nación ha incurrido en el error de adicionar doblemente varios conceptos a los rubros de gastos de la campaña, así como también por utilizar el sistema de caja, sin advertir la causación de los desembolsos respectivos.

De conformidad con lo expuesto, el rubro de gastos de la campaña se discrimina como sigue:

Gastos

Las cifras anteriores han sido registradas en las cuentas de gastos, de conformidad con los principios de contabilidad generalmente aceptados en Colombia, en especial de acuerdo con el principio contable de contabilidad por causación o acumulación.

Anticipos a tesorerías. En relación con este concepto, la Fiscalía General de la Nación ha incluido como gasto de la campaña, los giros realizados a las tesorerías regionales, olvidando –como se ha dicho reiterativamente– el principio de causación, ya que dichas partidas se encuentran consignadas en la contabilidad de la Asociación Colombia Moderna, en el acápite correspondiente a la cuenta de deudores, pues tales valores no han sido reportados en la forma de su utilización al 30 de Junio de 1994. Por tal motivo constituyen un activo representado en un anticipo, a diferencia de la Fiscalía General de la Nación, que erróneamente lo considera un gasto.

En anexo independiente, cruzado con los papeles de trabajo del Revisor Fiscal, se discriminan las partidas enviadas como anticipo a las tesorerías.

Sea ésta la oportunidad para llamar respetuosamente la atención de la honorable Comisión, en el sentido de demostrar cómo los señores peritos de la Fiscalía olvidaron utilizar para la determinación de sus valores, un procedimiento técnico como lo es el de la conciliación bancaria, pues no de otra forma se entiende que sostengan que existen comprobantes de egreso como los del No. 0551 al No. 0600, que no aparecen en la contabilidad, a sabiendas de que tales comprobantes fueron anulados en su integridad y que los mismos no sirvieron de medio para girar cheque alguno, situación de la cual dan cuenta los libros auxiliares de la Asociación y la Revisoría Fiscal. Un procedimiento de conciliación bancaria permite determinar sin sombra de duda –mediante el cruce de los cheques girados, incluida fecha y valor con los extractos correspondientes–, el uso de los comprobantes de egreso y el pago de obligaciones, así como la seguridad en materia de control interno sobre el número de cheques girados y su confrontación contra el pago de la entidad bancaria respectiva.

Igualmente un procedimiento de conciliación permite, en otros aspectos, efectuar el seguimiento desde el nacimiento de la operación, esto es, desde el documento, llámese factura, cuenta de cobro o comprobante, que le dieron origen a la obligación en materia contable y legal, así como su posterior registro, codificación y causación, para terminar con el pago respectivo, mediante el desembolso de los dineros adeudados por el ente económico. Por ello sorprende que los señores expertos de la Fiscalía General de la Nación no hubieran empleado este procedimiento, sino que por el contrario se hubieran limitado a la mera adición de valores, mediante simples operaciones aritméticas de suma de los soportes –sin validez contable–, entregados por el señor Medina.

Dentro de este contexto, también causan sorpresa las afirmaciones consignadas en el informe en cuestión, en el acápite designado con el nombre de Obligaciones Financieras-Préstamos, páginas 8 y 9 del mismo, donde se sostiene que los valores registrados como préstamos, efectuados por la Organización Luis Carlos Sarmiento Angulo y por Fernando Botero Zea, carecen de claridad y que sobre los mismos existen dudas sobre la veracidad y origen de los dineros.

Nada más lejano de la realidad, pues como se puede constatar en los libros auxiliares de contabilidad, estos dineros se encuentran plenamente identificados, incluyendo además en el caso de los cheques entregados por el señor Botero Zea, los nombres de los beneficiarios de tales cheques consignados por la Asociación Colombia Moderna.

Sin embargo sobre este último particular, es decir, sobre los cheques entregados por el ya citado Fernando Botero, los cuales llegan para este efecto a la suma de $339.899.400, cabe advertir que los mismos fueron recibidos por orden expresa del doctor Botero Zea, quien dispuso recibirlos a su nombre a título de préstamo, ya que no se encontraban girados a nombre de la Asociación Colombia Moderna; fue así como se expidió el recibo correspondiente por este concepto en favor del doctor Botero Zea y se registró el pasivo pertinente. Hasta la fecha se desconocen las razones de esta determinación y la verdadera propiedad de los nombrados títulos valores.

En este punto es de mencionar que la Asociación Colombia Moderna tenía determinado como procedimiento de control interno, el prohibir la recepción de cheques que no se encontraran girados a nombre de dicha Asociación, ha pesar de lo cual dicho procedimiento en ocasiones fue violado por el doctor Botero Zea, al dictar instrucciones como las descritas en el párrafo anterior.